99%の人類を奴隷にした
「ハザールマフィア」の終焉

世界革命前夜

ベンジャミン・フルフォード

Benjamin Fulford

第1章　今、まさに世界革命前夜
――アジアの金《きん》にたかってきたハザールマフィアの終焉　7

第2章　ハザールマフィアとは誰なのか？　——その起源、歴史、現状の世界勢力図

第3章　欧米旧支配権力の黄昏《たそがれ》

第4章　ロシア・ウクライナ紛争の真実
――「プリゴジンの乱」とは何だったのか

装丁・泉沢光雄　帯写真・赤城耕一

第1章

今、まさに世界革命前夜

——アジアの金《きん》にたかってきたハザールマフィアの終焉

◆〝新型コロナウイルス作戦〟が終了しワクチン被害者訴訟が爆発的に増大している欧米社会

ハザールマフィアたちによる〝新型コロナウイルス作戦〟が終了し、同じく彼らの仕掛けであるロシア・ウクライナ紛争も膠着《こうちゃく》状態が続いている。何より、彼らが支配する米国では、経済活動をするのに不足しているドルを、ただ刷り続けて資金を増やすという対処により、ドルは膨大な量が巷《ちまた》に溢れた。

まず、2020年に始まった新型コロナについて言及しておくと、世界を支配したいハザールマフィアたちは、「自分たちの権力を持続させるためには有色人種を中心に、世界人口を9割ほど減らす必要がある」と考えており、その手段として新型コロナウイルスをばらまいた。ただ人類の免疫力が思った以上に強かったため、この、いわば「生物兵器」では大して人口減少にはつながらなかった。

そのため、次に危険ワクチンを使って人類を削減しようと試みたのだが、日本など世界中から資金を巻き上げ、およそ10兆ドル（約1300兆円　1ドル＝約130円）のマネーロンダリングをすることはできたが、結局はワクチンの本来の狙い通りにはいかなかったということだ。ちなみに日本やカナダは人口の何十倍分のワクチンを買わされた。PCR（Polymerase Chain Reaction：ポリメラーゼ連鎖反応）検査もまったく役に立たないものだったが、これも買わされた。

ところで、新型コロナウイルス作戦が終了するや否や、米国では、ジョンソン&ジョンソンのワクチンが2023年の6月に、副反応が多いとの理由から、認可を取り消された。ファイザーのワクチンは副反応で訴えられたが、証拠を出すには相当な時間がかかると原告をないがしろにしている。モデルナのワクチンもほぼ同様だ。

新型コロナウイルス作戦たけなわの期間では、当局が明らかにしているデータを用いてワクチンのことを解説しても、少しでもマイナス面を表記していれば、ネットから削除されるという事態になっていた。この期間に、伝えるべき人に真実が伝わらなかった。このため今、雪だるま式に副反応が出ており、そこかしこで裁判沙汰になっているのだ。

新型コロナウイルス作戦が終了して、ワクチンはろくなものではないということが公知の事実となると、訴訟社会の欧米では、待ってましたと弁護士事務所が新聞広告を出して、ワクチン被害に遭っている人を募集している。〝お客さん〟を集めては、どんどん裁判を始めている。もともと米国では、弁護士が、集団訴訟などを積極的に仕かけて、いい商売をしており、自家用飛行機を持っている人などざらにいる。彼らにとっては、この上もないビジネスチャンスが舞い込んでいる。

ついでに米国の弁護士の行動で笑い話があるので紹介しておきたいが、彼らは交通事故を目撃すると、その現場から病院へ急ぐ救急車を追いかけて、着いた病院で、負傷者に保険会社のやり取りは俺に任せろと、契約を迫るのだ。

◆明らかに力の落ちてきたドルを、それでも刷り続けなければならない構造的理由

ロシア・ウクライナ紛争については、後述する。

ドル国債と引き換えにドル紙幣を刷り過ぎていることについては、米国議会のほうが、さすがにこれ以上、ドル国債（債務）を発行し続けるのはやめようとするものの、ダラダラとここまできてしまった。

2020年の1月までに流通していたドルは、まだましなものだった。米国はリーマン・ショックのときに、ヨハネス・リアディ（Yohanes Riyadi）と呼ばれるアジア王族から700トンのゴールド（約210億ドル＝約2兆3000億円　当時1g＝約30ドル）を購入し、これを担保に1000倍以上のレバレッジをかけて、約23兆ドル（約2500兆円）の紙幣を刷った。若干ではあるが、裏付けとなる担保があったわけだ。ただ、このドル発行も一筋縄でいったわけではない。そのドタバタについては後述する。

この、多少はましだったドルが、2020年1月までに米国からは消えた。人口削減の狙いもあったが、急場しのぎのドル調達にも使われたのが新型コロナウイルス作戦だったわけだ。それ以降のドルは、紙切れのドル国債と引き換えに刷り増したものだ。2020年1月から2022年4月までを見ると、7・4兆ドル（約810兆円）が刷られた。とにかく米国が発行しているドルは急激に膨張している。米国が国家として1776年から現在までに刷ってきた通貨の3分の2は、2009年以降のものなのだ。

ドルの膨張には、以下のような構造的な問題が長年横たわってきた。

少し古い話だが、ロナルド・レーガン元大統領が生前、1950年代に政府が直接関与している資金は国のＧＤＰ（Gross Domestic Product：国内総生産）の15％でしかなかったのが、早１９８０年代には50％を超えている、と言った発言が印象的だった。

言い換えれば、価値の低い資源から、価値の高い物やサービスを生み出し、実体経済を潤す民間経済が、第２次世界大戦直後は85％に上っていたのが、１９８０年代は50％しかなかった、ということだ。１９８０年代の当時から、米国経済は半分を年金やら、社会保障など公的資金に頼っていたのだ。政府がいろいろな形でジャブジャブと資金を投入しなければ、米国経済が回らないという構造があった。この構造では、当然、民間経済から上がる税収で歳出はまかなえず、ドルを刷って供給することになる。

２０２３年6月の何度目かの債務上限設定は、さすがにそろそろ決定されると思われたが、上限を設定すれば、結局デフォルトの回避も容易ではなかったため、ここでも制限がかかることはついになかった。ドルによる世界経済支配を続けるには、再び、紙切れでしかないドルを増刷するしかないという状況が続いている。

◆米国の金融・財政状況はもはや〝逃げ場〟のない崖っぷち

筆者は、日本のバブル崩壊を綿密に取材した経験があるが、その時、数字上はすべての大手銀行が潰れているというデータを見たことがある。銀行の貸付金と実体経済のギャップが100兆円あった。銀行の帳簿には資産として100兆円が記載されているが、実体経済側からは消えている。日本銀行には証拠資料があったが、およそ5年間、何もなかったかのようにその実体は隠されていた。その後、公的資金が銀行に注入され、数字を合わせた。

今、米国の金融機関の資産もそうなっている。

それも今回の場合、ドルの刷り過ぎによる実質的なドルの価値低下が、物価高を引き起こし社会不安が発生している。これを食い止めようと、約20年間の低金利政策をやめたため、金利差でドル建て債券の大幅な価値低下が起こるという2次被害が発生している。

ちなみにこの物価高も、適当にごまかされている。実際は生活者にもっと厳しい物価高になっている。

1980年代以降、インフレ率を計算するために使う品目バスケットの中身の項目を20回程度入れ替えている。入れ替える度に、その結果はインフレ率を下げることにつながっている。分かりやすく言うと、牛肉が高くなれば豚肉をそのバスケットに入れる。豚肉が高くなれば、鶏肉、大豆へと替わる。

実態のインフレ率は20%を超えている。インフレ率をごまかせばGDPも全部ごまかすことになる。実は米国は本当の経済指標を見れば先進国とは言えない状況なのだ。90%の米国人の生活水準は1970年代前半にピークが来ており、そこからずっと下がっている。

米国の金融機関は、金利が長期間の金融緩和でゼロ金利かそれに近い金利での企業の債権、住宅ローン、米国債など、あらゆる資産を持っている。ところが、ドルの政策金利は約5%になったため、例えば30年ものの金利1%の長期米国債は価値がぐっと下がっている、というわけだ。これは、米国債を大量保有する日本も他人ごとではない。

そのためもあって、ドルの総量はどんどん増やしているつもりが、ピークから7月時点で12％下がっている。今の状況を英語の慣用的表現で言うと「stuck between a rock and a hard place」、石と固いものの間に挟まれている、逃げ場がない。もはや、政策金利を下げれば、簡単にハイパーインフレになるようになってしまった。インフレは社会不安を誘発する。片や金利を上げれば、それ以前に低金利で買った金融商品がすべて目減りする。そうすると銀行が潰れる。どっちにも行けない。そういう状況なのだ。

今、政策金利が引き上げられて、数字上は、米国の金融機関もそうだが、日本の金融機関も入れて約4800社うち、半分以上は潰れていると言える。米国の金融機関も、この実体をさらけ出しては大変なことになるから、簿価表示でごまかしている。

かつて米国は、バブルが崩壊して資産が消失した日本の金融機関に対して、しきりに時価評価を求めたが、今、米国は、実はリーマン・ショックの時もそうだったのだが、あのときの日本と同じことをしている。BIS（Bank for International Settlements、国際決済銀行〈スイス・バーゼル〉）のルールに従えば、本当はもう業務停止になるはずだ。そこまで米国は追い込まれている。

ちなみにこの状況を理解している米国民もいる。このため、あまり表沙汰にはなっていないが、2023年に入って銀行の取り付け騒ぎが起こっている。3月までに1・5兆ドル〈210兆円〈1ドル＝140円〉〉が引き出され、ゴールドや銀、中古車、不動産などの現物に換えられている。

◆ドルには米国内でしか使えないドルと、米国外でも使えるドルの2種類がある

取り付け騒ぎに関連して、最近、Webサイト上にFRB（The Federal Reserve Board：米国連邦準備制度）の関係者やエコノミストたちによる、取り付け騒ぎや銀行封鎖、口座封鎖などについての論文がしきりと掲載されている。総じてそこに書かれていることは、預金はもうない、と受け取れる内容だ。以前、アルゼンチンで、一旦すべての銀行口座が凍結され、1週間後に凍結が解除されたときには預金額が変わっているということがあった。これと同様のことを米国でも準備、実行せざるを得ない、といった内容なのだ。情報リテラシーの高い人は、こうした情報を見ていて危険を感じ、金融機関

から資金を引き出しているのだろう。

念のため付記しておくが、米国は政策金利を上げ、表面上はドルの価値をある程度維持しているように見えるが、先ほど触れた2020年1月までに流通していたドルと、それ以降のドルは別物で、価値を維持しているのは前者のドルだけなのだ。見た目には変わらないし、金融機関に預けているドルも数字でしかないから、庶民が生活のために使う程度であれば、どちらも区別なく使われている。だが、国際的な取引で使われる決済に、後者のドルは使い物にならなくなっている。

筆者にも、使えるドルと使えないドルがある、ドルは一枚岩じゃないと実感した体験がある——。

最近、米国から友人が来た。彼はそのとき、ドルの現金を大量に持っていたので、一部日本円に換えてくれないかと言うので、筆者はお安いご用だと引き受けて、住まいに近いある日本の銀行の支店に赴いた。いざそれを日本円に換えようとすると、銀行員は「このドルは交換できない」と言う。理由を聞けば「古いため」とのこと。

実際は、新しいからダメなのだが、日本の銀行でも使えないドルを認識していたのだ。

記番号と呼ばれる、紙幣1枚1枚に印刷されているアルファベットと数字の列で識別できるらしい。筆者の故郷、カナダに帰ったときにカナダの銀行で交換してみたら、カナダドルと交換できたのだが……。

◆想像を絶する治安の悪化。警察は万引きを取り締まらない

話は戻るが、確かに米国も知恵をつけた。バブル崩壊時、日本を批判した米国は、リーマン・ショックのときに、日本と同じように金融機関への公的資金注入を実施し、経済崩壊の軟着陸を試みた。このときは25社が潰れている。

今回も高金利に弱い金融機関が破綻し、このあとも破綻する金融機関が続出するとの予想もあったが、2023年3月にシルバーゲート銀行、シリコンバレー銀行とシグネチャー銀行、5月にファースト・リパブリック銀行という4社の経営破綻でしのいだ。とはいえ、今回の米国の銀行の負債総額はリーマン・ショック時を超えている。2008年の1年間に潰れた金融機関の負債総額を、2023年の1月と2月の時点で超えて

おり尋常ではない。

　ちなみに、物価高による社会不安についてだが、まず今、ほとんどの米国人の貯金が底を突いている。現在は、若干物価も落ち着いたが、例えば2023年の1月には野菜の価格が約80％上がった。金利も上昇したから、住宅ローンの返済が2倍になっている。2022年11月のデータだが、リストラも前年同月比で417％増加。前月比で見ると127％増だったのだが、前年同月比でみると4倍を超えるという驚異的な数字になっている。

　米国民は、ここまで生活にダメージを食らっているから、1000ドル（14万円）の余計な出費に対応できない。という数字が出ている。なんとかまだ勤め先がある人でも、4割を超える人が、家計が苦しいのでとにかく給料を引き上げてほしいと要請しようとしている。こうした状況下、もうどうしようもないという米国民に対して、なんと食品などの万引きを政府が奨励する、という方法でしのいでいるのだ。

　万引きを国が奨励していることで分かるのは、まず、犯罪が多過ぎて万引きごときでは警察が動かないのだ。なんとカリフォルニア州には950ドル（約13万円）未満の万引きなら罪にならないという法律もできた。

これは、この法律が施行される前、ある小売店の警備員が正当防衛の範囲で、万引き犯を射殺してしまう事件があったのだが、これをきっかけに話が進んだようだ。後述するが、ここにも意図的なストーリーがあるように思われる。いずれにしても、とんでもない法律が施行されたのだ。日本に住んでいる読者諸氏には信じられないと思うが、例えば衣料品店から、何枚もの衣料品を山積みにして抱え運び出す黒人女性の動画なども公開されている。同様の法律はほかの州でも施行されている。

こうなると、物価高の中で、低賃金のファストフード店などでコツコツ働くという人もいなくなり、万引きをして暮らしたほうが手っ取り早いと考える人が多くなるのは自然の成り行きと言っていい。当然、小売店は自ら警備を強化しようとするのだが、当局から難癖をつけられて、警備員は万引きを見つけても、それを止めてはダメだと指示されているようなのだ。

当然ながら、もう店を開けたくないという店舗も増えている。営業をしていない店舗が増えると、一般の人たちはネットで必要な商品を買うことになるのだが、ネットで購入された商品が購入者の自宅まで運搬されている間に万引きされるという事態にもなっているそうだ。加えて、万引きした商品をネットで転売するという市場が拡大していて、これで暮らしている人もいる。

だいたい万引きの奨励が、社会不安解消の解であるわけがない。ドルの価値が低下して物価高が起こり、社会不安が発生、そしてそれを押さえるどころか、とにかく場当たり的な対処、あるいは意図的に、場当たり的な対処法でますます社会不安が起こるほうに為政者たちは持っていこうとしている。警備員の万引き犯射殺の事件には、意図的なストーリーがある可能性があると述べたが、ハザールマフィアたちは米国の不況を利用して、〝カオス〟を加速させようとしている、とも考えられるのだ。

◆カオスから秩序へ

実際、治安は確実に悪化している。例えば銃乱射事件。

もちろん、サンディフック銃乱射事件（２０１２年12月14日）のように、本当は何も起きていないのに、あたかも銃乱射事件があったかのように見せかけて政府が起こしている大規模な〝グラディオ〟乱射事件は今でも頻繁に起きている。ＣＮＮなど、アメリカのマスコミが大々的に取り上げている銃乱射事件の多くは、このニセのやらせ銃乱射事件だ。

しかし、それ以外の小さな銃乱射事件は、もはや日常茶飯事と言っていい。日本では、ごくたまにしか米国の銃乱射事件のニュースはないが、実際には、毎日何件もの小さな銃乱射が起きている。２０２３年1月から9月までの数字ですでに５００件を超えている。もはやあまりに件数が多いために、ニュースにもならないという状況なのだ。日本ならば、若者がもう人生にっちもさっちもいかないとなれば、服毒やガス中毒、飛び降りなどで自らの命を絶つというケースが多いかもしれない。ところが米国では、簡単に手に入る銃を購入して、商店街で銃乱射事件を起こすことが多くなっている。

筆者が、ＣＩＡ（Central Intelligence Agency：米中央情報局）の人間とのやり取りの中で、最近の銃乱射事件について話し合っていると、ある特定の銃乱射事件について、この乱射事件は普通ではない、これは調査する必要があるなどと言う。つまりは、報道する必要のない〝普通の乱射事件〟があるということだ。銃乱射事件は、犠牲者の出る重大事件だ。ところが、前述の万引きを放っておけ、と同様、〝普通の銃乱射事件〟はもはやガス抜きとして捨て置かれているのだ。

このような状況を見るに、筆者が最近感じているのは、いよいよ国家としてのアメリカが大変革の一歩手前に来ているということだ。今、ハザールマフィアたちに対抗する愛国者たちも、世の中の枠組みを変えるには最終的には武力しかない、と考えているのだが、ハザールマフィアの上の階層の人間たちが念願としている「カオスから秩序へ」（Ordo Ab Chao：オルド・アブ・カオ＝ＷＮＯ：ワールドニューオーダー〈世界新秩序〉への道筋）とも確かに重なるのだ。

もちろん、愛国者、あるいはハザールマフィアたちが武力で成敗《せいばい》する対象は真逆だが、ハザールマフィアたちも、故意に社会崩壊＝カオスをつくり出し、その後にこれを抑えるための軍事政権を打ち立てて新たな秩序をつくり出そうとしているように見える。それがいよいよ始まった、それが今なのではないかと。

いずれにしても、米国はもはやまともな社会とは言えない状況に陥っている。まとめると、ドルの大増刷と社会不安の発生、新型コロナウイルス作戦の失敗、ロシア・ウクライナ紛争の長期化など、ハザールマフィアたちの活動はもう行き詰まってしまった。こうした状況もあって、筆者は、いよいよ彼らの身勝手な行動は終焉を迎える、と期待していたのだが、残念ながら状況は2023年9月現在ではそのまま継続となった。

◆訪中したビル・ゲイツは中国に何を売り渡したのか

とはいえ2023年春以降、彼らが瀕死の状態に陥っていることは間違いない。というのも、米国のその上の古い体質の体制、まさにハザールマフィアたちだが、彼らはいま世界を見渡し、これまで散々資金を奪い取ってきた日本を見れば、すでに資金を吸い上げるだけ吸い上げてしまったために、日本はすっかり干からびてしまっているのに気づく。日本も、国債と引き換えに大量に円を刷っているから、市中のマネーサプライも膨張していると思われている方も多いかもしれないが、日本国内のマネーサプライはかなり低くなっているのが実情だ。

大量に刷った円は、ハザールマフィアたちに米国株式を買う資金にされ、マネーロンダリングされている。これはマネーサプライのデータを見てもらえればわかる。ゼロ金利政策が続けられているのに大した物価高にもならないのはそのためだ。日本での多少の物価高の主要因は、円安による輸入品の高騰が原因だ。

日本で、マネーサプライが本当に潤沢だったバブル景気の頃が思い出されるが、当時はキャバクラが大繁盛。清水《きよみず》の舞台から飛び降りるどころか、普通に60万円もするブランデーをボトルキープされたりしていた。現在では、あのとき以上に円が刷られていたと思われるのだが、そのような光景はもう見られない。

欧州経済も疲弊している。

2023年7月、ハンガリーのオルバーン・ヴィクトル首相がツイッター（現X）で発言していたのだが、EU緊急会議に出席したところ、EUが各政府に何百億ユーロ（何十兆円）を要請している、その理由を調べると7年の期間で設定されていた予算が、はや2年目にしてすべての資金が底をついている、とのこと。ハンガリーは、同国内の体制整備のためにEUから資金の提供を受けることが決まっていたが、これも止められている。ロシア・ウクライナ紛争に際して、各国がEUに拠出した500億ユーロの行方についても、何の開示もないと発言しているのだ。

欧州経済の疲弊は、輸入するエネルギーの高騰が主たる原因と見ていい。ドイツだけで見ても、2023年上半期、421億ユーロ（約6・3兆円。1ユーロ150円）の赤字になっている。

ハザールマフィアたちはロシア・ウクライナ紛争に乗じて、ロシアと欧州をつないでいたガスパイプライン、ノルドストリームを爆破したり、日本資本のエネオスのガソリンスタンドを爆破したりして、自分たちの高額なガスやガソリンを売った。ドイツは安いロシアの燃料でなく、高額なロックフェラーのガスを買わされた。

当然、ドイツの財界は激怒している。ハザールマフィアたちは小銭を稼げたかもしれないが欧州の経済は疲弊したのだ。

残るは中国や中東だが、今、まずはこの中国から、なんとか資金を巻き上げようと、必死の提案を次々に打ち出しているのだ。

その一例が、2023年6月のビル・ゲイツの中国訪問に見て取れる。

中国共産党の広報部隊、新華通信社（新華社）が運営するWebサイトのトップにビル・ゲイツと習近平国家主席が握手をしている写真が掲載された。筆者も、これにはあまりにもあからさまで少々驚いた。

ビル・ゲイツと言えば、新型コロナウイルス作戦の張本人でもある、ハザールマフィアの使いっ走りの1人だ。彼が、習近平に接待されているというワンシーンである。何かと引き換えに、中国から資金を提供してもらおうとする活動の表われであることは間違いない。

このワンシーン、表向きは、ビル&メリンダ・ゲイツ財団が精華大学に5000万ドル（70億円）を寄付したことへの、習近平からビル・ゲイツへ感謝を伝える場面だが、この程度の金額の寄付で、習近平が現われ、新華社が大々的に報道するようなネタではない。ビル・ゲイツがなぜここにいるのか、のほうが重要なのだ。

習近平にとってみれば、ビル・ゲイツは強力ウイルス（生物兵器）技術やＡＩ技術など、世界をリードするために必要な先端的テクノロジーを供与してもらえる存在だ。

ちなみにビル・ゲイツの、新型コロナウイルスにも通じる生物兵器研究は、第2次世界大戦中に中国北東部にあった日本軍の細菌兵器開発部隊、731部隊の主要メンバーが米国に保護されて以来、米国に受け継がれたものに由来している。731部隊のテクノロジーは、3000人にも上る要員による戦時下の人体実験も可能な環境での研究で、相当なレベルにあった。

習近平とビル・ゲイツの間の交渉でまず1つ推測できるのが、この生物兵器技術の売買だ。ビル・ゲイツは、結局、新型コロナウイルスビジネスに巻き込まれた中国に対して、再び生物兵器が使われることの危険性をちらつかせながら、価格交渉をしたに違いない。

もう1つが、半導体技術だ。今では、中国内に製造工場を造れば、中国にテクノロジーをすべて奪われてしまうことは常識になった。このため今、中国に進出している企業も、技術をもうこれ以上、中国に奪われたくないと考える企業は穏便《おんびん》に中国から撤退しつつある。技術が盗まれるだけでなく、突然の法改正など何があるか分からない、いわ

2023年6月16日、北京を訪れ、習近平主席と握手するビル・ゲイツ。ゲイツは一体、中国に何を差し出しに行ったのか

ゆるチャイナリスクのある中国にサプライチェーンを築いておくのは危険だと、中国をあとにする企業が増えている。

さらにビル・ゲイツは、彼が保有する6万基以上の人工衛星も中国に売却した可能性がある。

人工衛星ビジネスは、今ではイーロン・マスク率いるスペースX社のスターリンク衛星群のほうが有名だろう。世界中のどこからでもインターネット接続を可能にする1万2000基以上の人工衛星だが、実はビル・ゲイツの人工衛星ビジネスは、これよりはるかに先を行っていた。ビル・ゲイツは、スペースXと同様の低軌道衛星によるインターネットサービスや、観測衛星による情報提供サービスを手掛けていた。彼はこれを手放したようだ。

これらの交渉で、中国（表向きは習近平。実は中国の王族や貴族）は、ビル・ゲイツにいくらの資金を用意すると約束したかは分からないが、ロバート・F・ケネディ・ジュニアいわく、中国側は、米国が債務上限問題をクリアした途端に、約束した資金提供を反故《ほご》にしている、とのことだ。

それでも、米国の債務上限問題がまだどうなるか分からない時点では、幾ばくかの資金が中国から提供されていた。

中国からの資金が手に入ると、ジョー・バイデン米大統領はすぐさま、まずウクライナに寄付をする。筆者は、ウクライナ寄付＝マネーロンダリングと見てきた。まずウクライナの中央銀行に資金を移し、そこからＦＴＸというバハマにある暗号通貨取引所のファンドを経由して米国に戻される。

ところが、暗号資産取引所ＦＴＸの創業者兼ＣＥＯのサム・バンクマンフリードが２０２２年12月、米連邦検察により、詐欺、マネーロンダリングなどの罪で起訴された。これは、米愛国派の仕業であろう。バイデンのマネーロンダリングを阻止、あるいはそのことをあからさまにしようとする勢力によって引き起こされた。

◆憐憫《れんびん》すべきアメリカの物乞《ものご》い外交

ビル・ゲイツが中国を訪問した直後、今度はブリンケン米国務長官が中国を訪問している。債務上限問題が先延ばしになったやはりこの6月、いよいよ自分たちの旗色が悪いと見たか、ブリンケンは下手《したて》に出る工作を仕掛けている。「今後は中国と競争をしない。中国への内政干渉もしない。イコール台湾は中国のもの」などなど、今後は中国の言う通りでかまわないという発言を連発したのだ。このブリンケン訪中は、2018年以来、中国が受け入れていなかった米国務長官の受け入れだったから、事前に相当中国に譲歩する旨を伝えていたのだろう。

ちなみにブリンケンは中国を訪問する前、サウジアラビアに出かけている。そこでサウジアラビアのビン・サルマーン指導者と会っている。ここでも資金提供を請うたようだが、手ぶらで返されている。

この会談で驚くのが、ブリンケンとビン・サルマーンの会談の席で撮られた2ショット写真だ。ビン・サルマーンの背後にはサウジの旗があるのに対して、ブリンケンの後ろには米国旗がないのだ。これは、ブリンケンは米国政府の代理ではないと世間に暴露していることになる。誰の代理なのかと言えば、ハザールマフィアたちの代理ということになる。もちろんバイデンもハザールマフィアに使われているわけだが、サウジアラ

ビン・サルマーンの背後にはサウジの国旗があるのに、ブリンケンの後ろに米国の国旗がない！　ブリンケンは米国政府の代理ではなく、ハザールマフィアの代理だからだ

2023年6月7日、サウジアラビア西部のジッダで会談するムハンマド・ビン・サルマーン王太子と、アントニー・ブリンケン。「米国務長官」と書きたいところだが、この男が米政府を代表していないことは、この写真がはっきりと示している。これが世界中に配信されたのだ

ビアはその状況をあからさまにしたということだ。

話を戻すが、ブリンケンが中国を訪問し、リップサービスを展開した直後、バンクマンフリードの起訴は取り消された。何もなかったかのように同氏は自由の身になっている。ここは、今や米国は中国に監視されており、中国に買収された米国の政治家も少なからず存在していて、何かあれば米国の検察を動かせるということが明らかになった、と見るべきだろう。

ただ、ブリンケンは中国から資金を得ることはできなかった。その腹いせか、彼は中国から米国へ帰るとすぐに中国の悪口、暴言を吐く。習近平は独裁者だ、台湾はウクライナだ、などなど。

やはり同じ6月、米国は次にインドのモディ首相を、ワシントンに招待した。モディに対しても、ブリンケンが訪中したときと同じように、あからさまな下手《した て》作戦を展開。インドに工場を造ってもらえれば半導体を作ります、武器も売ります、など。モディがこれに、申し出はうれしいが、インドは中国、ロシアを含め多くの国と親しくしていきたいと考えている、と返答。利益は、親しくする国々と共有すると述べて、結局、イン

2023年6-7月の、米国要人の度重なる訪中劇（物乞い外交）は、いかに米国の金融経済が危機的な状態にあるかを如実に物語る

7月20日、ついにキッシンジャーが訪中して習近平と会談

7月7日、イエレン財務長官が李強首相と会談

6月19日、ブリンケン国務長官が習近平国家主席と会談

ドからも資金を提供してもらうには至らなかった。

そして7月、ついにロックフェラーの筆頭カバン持ちであり、100歳になったヘンリー・キッシンジャーが中国を訪問し、習近平と北京で会談した。

その際、キッシンジャーが「米中関係は、世界平和と人類社会の進歩に関わる問題だ」と述べると、習近平はキッシンジャーのことを「旧友」と繰り返し言及し、「中国人民は決して旧友を忘れることはない」と語った。だが、古くからの友人とどれだけ称えられたところで、結局、キッシンジャーは手ぶらで帰されている。

7月には、イエレン財務長官も訪中したが、こちらも同じく手ぶらで帰された。

ハザールマフィアたちはこのように、中国だけではないが、とにかく基本は中国に売れるものがあれば売って、中国から資金を巻き上げなければ、借金が積み上がるばかりで権力を維持できないところまで追い詰められていて本当に必死だ。ところが、もはや中国のほうが上にいて、いいようにされている。ハザールマフィアたちが相当弱っているのが、こうした中国やサウジアラビア、インドなどと米国のやり取りから分かる。

◆ハザールマフィアはこれまで何度もアジアの金《きん》にたかってきた歴史がある

ところでハザールマフィアたちは、昔からアジアにたかっている。特にアジアの王族たちは、長い歴史の中で蓄えた大量のゴールドを持っていることが多い。誰がゴールドを保有しているのかは、世界経済に非常に重要なことなのだが、ローマ時代からの歴史を見ると、欧米はアジアから、陶器、スパイスなどを輸入して、ゴールド・シルバーを輸出した。

このため、世界のゴールドの85%ぐらいは、アジアにあると言われている。もちろん、日本のようにゴールドやシルバーを輸出した国もあるため、それらを差し引きした数字ということになる。

とはいえ、ハザールマフィアたちに何度となく巻き上げられてきたから、アジアの王族たちが保持しているゴールドもかなり減っているのかもしれないが、とにかくアジアの王族の資産は莫大なものがある。日本の皇室も、第2次世界大戦が終結した段階で相当巻き上げられたと見られるが、まだまだ資産家であることは間違いない。

ハザールマフィアたちが、アジアの王族にたかる最近の例として、タイ王族にたかっている。今、タイの王様はタイではなく、ドイツにいる。その王族たちは自由に行動できるような身分ではなく、西側の人質のような立場にあるらしい。しかもその王様はヘロイン中毒患者で、その娘は病院で意識不明の状態だという。娘のほうはどうやらワクチン被害のようだ。

タイ王族が、このような人権侵害とも言える状況になっていることについて、私のインフォーマントは、タイ王族の血を引いている人物を訪れ、内情を聞いてみたそうである。すると彼は、ある日、ハザールマフィアと思われる人間に脅迫され、歴史的に蓄えてきたゴールドを持っていかれてしまったと語ったそうである。

台湾王族の話もある。台湾王族はアジア王族の中でも一級の資産家だが、ハザールマフィアたちが彼らを頼ってくると、彼らはもう〝紙〟は信用していないそうだ。さもありなん。ゴールドが欲しければ、実在する資産を差し出さなければだめだ、と言っているそうだ。

ハザールマフィアたちは、このタイ王族のゴールドと、台湾王族がかつて渡してしまった歴史的なゴールドの権利を担保にして、ドルをもっと刷り増そうとしていたらしいが、結局、ハザールマフィアたちの思うようには進まなかった。そこでブリンケンらが、慌てて中国に行ったという事象につながる。

ハザールマフィアたちにとって、アジアの王族たちのゴールドを担保にできれば、2025年までの資金は確保できると見込んでいたようだ。が、これがかなわなかったため、相変わらず紙切れの国債を発行する代わりにドルを刷ることになった。2025年までの資金を確保できれば、自分たちのシナリオ通りにことを進められると考えていた節《ふし》がある。彼らがどのようなシナリオを持っていたかについては、後の章で詳報する。

ちなみに、北朝鮮が核兵器の実験で世界を騒がせているが、あの核兵器も、ハザールマフィアたちが金欲しさに、米国が売却したものなのだ。北朝鮮が独自で開発したものではないのだ。北朝鮮にもゴールドがそれなりにある。これを核兵器と交換した。

米国(ハザールマフィア)が計算違いだったのは、かつては米国本土までそれを届かせることはできなかったのだが、今、北朝鮮ではこれができるようになっている。言い換えれば、今となっては北朝鮮はニューヨークやロサンゼルスを爆破する能力があるのだ。

第2章

ハザールマフィアとは誰なのか？

――その起源、歴史、現状の世界勢力図

◆インドネシア、台湾、日本の皇室なども金《きん》を騙し取られてきた

かつて王族は、自分が失脚する際に、ゴールドを持って逃げていた。ゴールドは、当面の暮らしの役にも立つが、次の世代に自分たちの血筋をつなぎ、地位を復活させるための資金ともなる。とにかく大量のゴールドだから、隠し場所には苦労するのだが。

台湾・中国の王族には、例えば孫文がいる。中国の孫王朝の末裔だ。ソフトバンクの孫正義もそうだ。孫が、多額の資金を投資に使えるのは、王族の資産が注ぎ込まれていると見ていい。歴史的に蓄えられた資産でなければ、あそこまでの投資は難しいだろう。

蔣介石《しょうかいせき》の妻・宋美齢《そうびれい》は、宋時代の王族につながる。ほかに満州には、李一族、明王族の末裔も台湾にいる。彼らも相当な資産を持っていると言われている。

BISは1930年に設立され、ドイツの第1次大戦敗戦で課された賠償金を取り扱っていた。このときドイツは、14万4000トン（現在価値で1440兆円、約10兆ドル）のゴールドを賠償金として払わなければならないことになったのだが、そんな大量のゴ

ールドはなかった。結局、ゴールドはアジアにしかないと、インドネシア王族からゴールドを提供してもらい、これを担保にＢＩＳをつくったのだ。

インドネシア王族からゴールドを提供してもらう際、ゆくゆくは世界統一政府のような組織をつくることを約束するから、インドネシアの王族は裏で長老として監督しながら、民主主義を進めていっていただきたいなどとオファーをすることで、ゴールドの提供が実現した。ところが結局、そのような組織は設立されず、約束は果たされていない。

実は、１９７１年のニクソン・ショックはこれがきっかけで起こっている。

インドネシア王族は、ゴールドを騙し取られたような形になったため、ほかの王族も、誰に請われようと簡単にはゴールドを提供しないことを申し合わせた。

この頃は、ドルが世界の基軸通貨となるべく、米国は戦後の世界の復興に努力しつつ、ドルを金との兌換《だかん》紙幣としていた（ブレトン・ウッズ体制）。それまではゴールドで国際決済をするのが当たり前だった。このためドルを、ゴールドとの交換レートを固定した兌換紙幣としたのだが、ドルを得たら、ゴールドに替える人も多かった。兌換紙幣とは言っても、実際には、欧米先進国にあるドルだけが兌換できるという、完全な兌換紙幣ではなかったのだが。

その後、世界のゴールドは不足し、底をつく。そしてニクソン・ショックが起こった。苦肉の策として、ハザールマフィアたちはドルの金本位制をやめ、石油本位制に移行した。後の章で触れるが、今、世界の米国離れが進んでおり、産油国のサウジアラビアも、米国にはもうたかってほしくないと言っているため、石油本位制も崩壊しつつある。

これ以降、ハザールマフィアたちはあの手この手で、延命してきた。

もちろん、国債を発行してドルを刷るのは常套手段だが、例えば1943年に、原子爆弾の開発を目的に設けられた米国のロスアラモス研究所（ニューメキシコ州）に、なぜかシルバーでできた巨大な機械があり、これをすべて溶かして資金の足しにする。

また、およそ3200兆円（23兆ドル）もの日本人の年金を運用する年金積立金管理運用独立行政法人（GPIF）にたかって運用益から高額の手数料をかすめ取っていく。日本から資金を巻き上げることについていえば、ハザールマフィアたちに引き起こされた東日本大震災（3・11）のとき、「トモダチ作戦」で、戦後、日本が稼いできたドルを全部渡すはめになっている。それで米国はしばらく資金がない状態をしのいだ、などなど。

少し話は横にずれるが、3・11が引き起こされたきっかけには、ハザールマフィアたちのエネルギーによる支配の徹底も絡んでいた。

2007年頃、第2次世界大戦直後に設立されたCIA傘下のランド研究所が、日本が、核燃料・核原発でエネルギーの独立ができそうだという研究結果を発表した。これが本当に実現すれば、日本は言うことを聞かなくなる。日本を抑えるため原発を止める施策を考えなければならないとなった。3・11の結果、実際日本はすべての原発を止め、大量の石油・ガスを購入しなければならない状況が続いている。

後に触れる、中古武器の販売や臓器売買など、何でもありのハザールマフィアたちのビジネスだが、このところのドタバタを見ていると、筆者は、これらもだんだんと成り立たなくなっていると感じている。たとえて言えば、失業した人が、質屋に持っていくものもなく、それで知人に、時には脅して恵んでもらおうとするのだが、知人たちはみな財布の紐を固く締めている、という状況なのだ。

そしてなんと、日本の王族＝皇室も、財布の紐を固く締めるという点で、例外ではないようなのだ。

２０２３年６月、天皇陛下がインドネシアを訪問された。この際、戦後にインドネシア独立のために戦った日本兵の墓参りをした。彼らはインドネシアで勝利した人たちだ。これは何かのサインと見ていい。

第２次世界大戦の犠牲者でなく、世界大戦で一度追い出したが、戦後に戻ってきたオランダ軍を、再び追い出した日本人たちの霊を慰めたのだ。これは、欧米からの独立を宣言したものなのではないかと思うのだ。

２０２３年７月、日中韓の会議があった。この席で中国の外務大臣が、韓国と日本の政府に対して、「あなたたちが髪を染めて鼻を整形手術したとしても、中身はアジア人なのだ、そこを改めて自覚してほしい」といった趣旨の発言をしている。

これは、世界情勢が大きく変わろうとしている中、中国から、もう少し世界情勢を鳥瞰《ちょうかん》すれば今、まさしくアジアがまとまって、世界の中で、政治にしろ経済にしろ、もっとアジアの大きなプレゼンスを示すべきなのではないか、という呼びかけだったと考えられる。今後もハザールマフィアたちの言うことばかりを聞いていても、世界は好転しないというアドバイスだろう。

筆者も以前、中国を訪問したとき、各階層の中国人に日本人についてどう考えているか取材したことがある。すると、そのおよそ8割が同様の答えを返してきた。「日本人は自分たちがアジア人であることを忘れているのではないか」と。客観的に考えてみれば、その答えは的を射《い》ていると思う。

実は北朝鮮も、ずっとその志向を貫いてきたと思うが、今そのような変化を待っているのではないか。前述したが、北朝鮮は今や核兵器を米国本土に打ち込むことができるようになっているから、そろそろ韓国を北朝鮮に返還すべきではないか、検討しているようだ。朝鮮半島統一は、北朝鮮を主体国として実施されることが決まっている。

そういう意味では、皇室は一歩先を行き、ハザールマフィアたちからの独立を目指し始めていると言えるのではないか。であるのに、日本の状況があまり変わらないように見えるのは、ハザールマフィアたちに買収されている日本の政治家と日本のマスコミのパフォーマンスが、今もって展開されているということだ。

もう少し皇室のゴールドについて触れておくと、筆者が八咫烏《やたがらす》という、神道の下《もと》でいつの時代にも天皇家を守ってきたと言われる秘密結社の人間と会って聞いたときの話を紹介しておきたい。

江戸幕府が持っていたゴールドが美智子上皇后の名義になっていたという。このゴールドは慈善事業のためにしか使えないらしいのだが、赤十字経由で連絡を取れば、そのゴールドを使える。そこで赤十字に連絡したところ、そのゴールドはクレディスイスに預けられている。ところが、クレディスイスにそのゴールドがないというのだ。勝手に使われていたということだ。

赤十字に連絡してそのゴールドを使おうという、このタイミング、2023年3月にクレディスイスが倒産した（UBS〈スイス銀行〉に買収され救済）。これは、皇室のゴールドを使い切ったことが発覚し、穴埋めなどできないという状況のため、倒産したのではないかという見方がされているのだ。倒産すれば、債権者である皇室も、あまり強く追及することはできない。が、ここでも皇室のゴールドが使われてしまったということには間違いがないのだ。

ただ日本には、まだ皇室のゴールドがあるようだ。貴金属商社、田中貴金属は、天皇家の企業なのだそうだ。だからあるにはある。田中貴金属に行けば本物の天皇家の銘が刻まれたゴールドが手に入る。

以前は、皇室のゴールドがバチカンにあるのではないか、という話もあった。ところが、バチカンに家宅捜査が入ったとき、教会の地下室にいろいろな文物《ぶんぶつ》やゴールドが見つかったものの、結局それらはすべて持ち出され、宝もゴールドもなくなってしまったらしい。不明な点も多いが、バチカンにもハザールマフィアたちとの間で何かがあったと言わざるを得ない。

◆〝台湾有事〟はあり得ない。知られていないが、戦後、日本の統治担当国は台湾だった

台湾王族の話が出たので、ここで、台湾有事について触れておきたい。

驚かれるかもしれないが、台湾の中国への併合はほぼ確定しているのだ。そう遠くない将来、成り行きで併合される。言い換えれば、台湾有事はない。

というのも、2024年1月の台湾の総選挙は、台湾の世論調査でも明らかになって

いるが、中国寄りの国民党が勝つ見込みだ。この世論調査も、中国側の世論誘導がされていることも考えられるが、ハザールマフィアたちも中国の言うがままである限り、流れは中国台湾統一の方向へ向かっていると言わざるを得ない。

西側は、台湾の半導体サプライチェーンなどについて懸念し、台湾が現状変更となることに警戒している。ところが実際は、台湾国民も中国との経済活性化を優先し、中国と一体となることへの抵抗感はそれほど大きくないのだ。このことは、今の香港を見れば分かる。香港への大陸支配が日増しに強まっていく中、これに抵抗する香港人のデモ活動などが報道されるが、実はほとんどの香港人が現状を受け入れている。

ちなみに香港で、2014年に雨傘運動が起こったが、結局、ハザールマフィアたちに洗脳されている人たちが先導している。香港に限らず、ハザールマフィアたちに洗脳されている人は日本にもいる。米国に頭を下げることで潤っている自民党の政治家などがそうだ。だが、ほとんどの香港人には関係がない。

香港が中国に返還された1997年も、筆者はカナダに戻ったのだが、なんとバンクーバーに香港人があふれていた。この状況を見て、バンクーバーはホンクーバーになったというジョークがはやった。中国怖いという人がバンクーバーに集まったのだが、彼らはカナダにしばらく住んでみると、やはり退屈だと、結局、その多くは香港に戻っていった。その程度のことだったのだ。

それよりも、台湾と中国の統一は、日本にとって大きな転換点になることを考えたほうがよい。

もともとの台湾＝中華民国（国民党支配の中国）は、第2次世界大戦の戦勝国。大戦後、日本は米国によって統治されたが、実は中華民国が統治担当国だった。戦後処理を実行する国は国力のある米国で、裏で管理していたのが中華民国だったと考えれば分かりやすい。

実際、台湾（中華民国）の有力者たちは、米国による日本統治と並行して、戦前・戦中に一番のライバルだった日本に注文を付けていた。当時の日本のリーダーは、台湾からの指令も考慮せざるを得ないという立場だったわけだ。ちなみに米国はドイツの統治担当国だった。

その点で、今後は小さな台湾が日本の担当国だった時代から、大中国（共産党）が日本の統治担当国となる時代に移行するという大転換があり得るということだ。米国（ハザールマフィア）の力が弱まり、中国に頼り続け、台湾を中国に渡せば、日本も中国共産党の手に渡されることになる。

◆9・11〝同時多発テロ〟に台湾が関わっていたという驚くべき真実

台湾は、中国王朝では蛮族の住む化外《けがい》の地として、積極的な統治はされてこなかった。日清戦争の際、日本に割譲される。台湾が発展したのはこの後だ。では、今はどうなのか、改めてここで触れておく。

２０２３年7月のある日、珍しく真実が報道されていた。というのは、中国が、米国に対して巨額の債権を保持している、米国はこの債務をどうするのだ、というニュースだったのだ。このニュースの真相をひもとくことで、米国と台湾の関係が見えてくる。

時は遡って１９３０年代、日中戦争の折《おり》、１９３８年になって米国の戦艦7隻が中国に入港、中国本土にあった国民党のゴールドを、日本に奪取されないようにと、そのゴールドを米国に持ち出した。米国は、その証として、国民党に相当額の60年米国債を渡した。これがあれば、ドルと同じように日本との戦争に使う武器やさまざまな物資を購入できると。

戦後、共産党が中国政府になった。国民党は台湾に逃げた。そしてニクソン・ショックの時に米国は共産中国と国交正常化した。その際、米国は手土産として、国民党から預かり、一部残っていたゴールドを中国共産党に渡している。それでも20万トン（200兆円、14兆ドル）という量だ。

これを黙っていなかったのが、台湾側だ。米国から渡された60年国債は、1938年のちょうど60年後、1998年に満期となり、償還されなければならなかった。ところが、残っていた分のゴールドとはいえ、それを使ってでも償還すべきだったのに共産党のもとへ届けたのだから、台湾としては黙ってはいられないはずだ。

そこで、台湾にいる旧中国王族、明、孫、漢、李、鄭といった人たちが、米国を訴えた。米国としては、中国共産党に返したから、返す必要はないと主張したが、受け入れられず敗訴している。

この裁判所はどのようなものなのか、筆者も調べてみると、王族などが訴訟を起こせるエリート同士が争うハイレベルな裁判所があるようなのだ。確かに、詰まるところFRBもその上にいるのは王族だから、彼らの間で争いごとがあればそれを解決する場がなくてはならない。

この裁判では、ブレトン・ウッズ体制を構築することによって世界全体の発展を目指していたのに、実際は西側先進国だけが発展したような状況で、そのほかの地域は置いていかれていることについても争ったようだ。

1998年に60年債が償還されることはなかったが、この裁判により、米国は、2001年9月12日に台湾に金を戻すように決まった。ところがこの償還期限の前日に大事件が起こる。

そう9・11だ。台湾のゴールドや関連資料が保管されていた貿易センター第7ビルを爆破し、すべての証拠隠滅を図ったのだ。9・11には、ハザールマフィアたちの、テロとの戦いという新たな戦争キャンペーンを打ち出す目的があったから、とにかく米国は、台湾にゴールドを返したくなかったという状況と合わせてこの事件を敢行した。

では、9・11でゴールドはどうなったかと言えば、燃え尽きたわけではなくパラグアイなど南米に持ち出されたようだ。

米国は、中国に対してさらに資金が欲しいという席でのリップサービスだけではなく、台湾や中国の王族に対して、このような歴史的な負い目があるわけだ。

彼らはFRBの理事会にもいるし、中国共産党のバックにも台湾・中国の王族がいる。もちろん、王族も一枚岩ではないから、中国共産党にゴールドを返せば済む話、ともならない。中国共産党のバックには王族がいるとは言っても、もともと共産党はハザールマフィアたちがつくったから、特に台湾はこれを毛嫌いしている。

世界の歴史から見れば、この40年間続いてきた米国の中国との貿易赤字のことなど小さなことで、こうした背景があり、中国と台湾は民族も同じで、住民の相互交流、経済の相互交流も、もう巻き戻せないほど進んでいる。台湾で国民党が優勢になれば、自然と統合されていくことは異常なことではないのだ。

中国台湾統一の大筋合意としてあるのは、台湾は独自の軍隊をそのまま活用する。共産党の私的な軍、人民解放軍は台湾には入れない。独自の民主主義もそのまま続ける。

しかも、北京政府の財務大臣など要職に、台湾政府の人物が派遣されることになっている。

台湾有事はないのだが、万が一、中国と米国が戦闘状態に入ったらどうなるのか、という質問を、筆者は台湾の政府関係筋にぶつけてみた。

すると、興味深い答えが返ってきた。本当に中国が侵略してきたら、彼らは何をするかと言えば、蔣介石が中国から持ち出した伝統的な文物・美術品が保管されている国立故宮博物院から、これらを持ち出すだろうとのことだ。日本の国立博物館などもそうだが、文物は、展示されているもの以外にも多くのものが保管されている。これらをすべて持ち出すのだ。それも、不思議なことに、中国ではなく、インドネシアなど第3国に持ち出すのではないか、ということだった。

一方で、米軍の専門家に言わせると、台湾の海岸はほとんどが崖になっているため、簡単には上陸できないらしい。

そうなると、米中共に占領に時間がかかることになる。持久戦になった場合、米国はすぐに音《ね》を上げることになるとのこと。今や米国には資金がないだけに、まともに軍備の生産がされておらず、シミュレーションの結果、たったの1週間でミサイルも尽き、戦闘不能になるとのことだ。シミュレーションでは、米国先攻でも中国先攻でも結果は米国の敗北と出たそうだ。

台湾有事については、中国でもシミュレーションがされていて、南華日報、サウス・チャイナ・モーニング・ポストで発表されていたが、ミサイル20発で米国の空母艦隊を撃没できるという結果が出たそうだ。空母艦隊は、言われてみれば70年前の技術であり、時代遅れで、実際の戦闘の場では単なるカモでしかないとのことだ。これ見よがしに空母艦隊を世界に派遣するのは、今やある種の利権にしかなっていないということだ。

今後、どこかで戦闘があるとすれば、潜水艦からのミサイル攻撃とドローンによる攻撃で事足りるらしい。とにかく台湾有事は、結論としてハッタリだ。米国も、軍事力ではどうにもならない。中国も戦争で台湾を取り返すのは得策ではない。そのために長く水面下で交渉が続いているのだ。そして今、ほぼ合意を取り付けたという段階に入った。

では実際に、どのような形で中国と台湾の統一がなるかと言えば、２０２４年の選挙で勝利を収める国民党政府が、改めて中国と交渉する。前述のように大筋合意はできているので、これを承認し、詳細を詰めることになるだろう。最後は、これを台湾政府と中国政府が平和的に発表する。これだけだ。ちなみに台湾には米軍が駐留しているが、中国はなんとこれを雇うことも考えているそうだ。他国の軍人でも、毎月給与が振り込まれて、家賃を払ったり生活費を賄《まかな》えたりすれば、雇い主の言うことを聞くのだ。

◆RCEP《アールセップ》で「どうぞ、アジアをお好きなように」と中国に差し出したハザールマフィア

さて、話は戻るが、ハザールマフィアたちは、彼らにとってもはや絞りかすでしかない日本を、台湾の中国との統合により、中国に渡そうとしていることにとどまらず、これもどうぞ、と言わんばかりにアジア太平洋の経済的利権も差し出している。

というのも、中国と台湾、英国の加盟問題などでまだ揺れているCPTPP（The Comprehensive and Progressive Agreement for Trans-Pacific Partnership：環太平洋パートナーシップに関する包括的及び先進的な協定）に代わる経済連携、RCEP《アールセップ》（Regional Comprehensive Economic Partnership Agreement：東アジア地域包括的経済連携協定）が、やはりこの6月

までにすべての国で発効した。

名目上は、経済面でＡＳＥＡＮ《アセアン》（Association of South - East Asian Nations：東南アジア諸国連合）、韓国、日本、豪州、ニュージーランドの15カ国で、中国のほぼやりたい放題が認められる。各国のほとんどの物品・サービス・投資に関して関税がかからない中、中国は低コストで日本を含めたアジア太平洋地域の国々の不動産、企業を買いあさることができるようになった。

ただし、そのようにしたいと考えている中国に対して、ハザールマフィアたちはＲＣＥＰを使ってどうぞご自由に、と勝手に言っているだけで、実際のＲＣＥＰの運用は各国が決めるもの。そもそも安全保障面から見れば、韓国も日本も豪州も、ニュージーランドも完全に反中だ。ＡＳＥＡＮは、歴代中国王室が失脚すると逃避する場所であり、彼らの影響を多大に受けているＡＳＥＡＮ各国は当然ながら中国共産党一辺倒ではない。

要は、米国はＲＣＥＰのメンバーでもないのに、中国の思いを忖度《そんたく》し、その代わり資金をお願いしたい、と言っているのだ。売れそうなものがあれば、何でも中国にこれはどうかと商品を並べ、少しでも興味を示せば、値段を付けるという状況と言っていい。

これらの真実を見れば、読者諸氏も、今、米国（ハザールマフィア）が、あまりに身勝手で情けない状態にあることを理解していただけると思う。

◆ハザールマフィアの一角を占めるロックフェラー一族

ここで改めて、米国のハザールマフィアとは誰なのか、少し触れておきたい。

今のバイデン政権を操るハザールマフィアだが、彼らはロックフェラー一族だ。闇議の名簿を見れば、皆、外交問題評議会（Council on Foreign Relations：ＣＦＲ）のメンバーだからだ。

外交問題評議会のメンバーは皆、ロックフェラーのしもべたち。そのロックフェラー一族が延命のために中国に身売りしたり、他国を差し出したりしているのだ。ロックフェラーは、今やイスラエルで失脚し、ウクライナでも失脚するのが目に見えている状況。もう頼るのは共産中国しかないわけだ。

ところで、欧米人にロックフェラーの印象を聞くと、フォーブスの番付で３００位ぐらいの、もう過去の人だという認識だった人もいた。

実は、ロックフェラーの1代目は現在価値で兆ドル単位で資金を持っていた。その後、資金がなくなったように見えたのは、資金を慈善団体に移しているからだ。調べると、200以上の団体があった。例えば、ロックフェラー大学、ロックフェラー財団、生物学研究所などを傘下《さんか》に持つブルックリン財団などだ。

財団には、相続税を払わなくていい、情報公開をしなくていいといったメリットがある。これらの財団を通してフォーチュン500企業を支配している。もちろん、資産運用会社のブラックロックやステートストリートなどを通しての支配もある。

◆ハザールマフィアの上級機関、それを「オクタゴン」と呼ぶ。スイスに本部がある

ロックフェラーだけでなく、ハザールマフィア全体についても解説しておこう。

スイスの学者が多国籍企業の取締役の名簿を分析して明らかになったことだが、9割の多国籍企業が約700人によって支配されている。多国籍企業の取締役の延べ人数は

もっと多いのだが、1人の人物が複数の企業の取締役を兼ねているから、それを名寄せすると700人になる。この700人が、ハザールマフィアたちと見ていいだろう。彼らが、企業活動を通して世界経済を牛耳《ぎゅうじ》っている。

もちろん、ハザールマフィアたちの活動は経済活動だけではない。国際政治を動かしている。この上に指導的立場の人物が存在する。これについては、筆者の重要な取材先の1人が証言している。彼はローマ帝国時代からのローマ王族の血を継ぐ人だが、実際に彼らの仲間が黒い面をかぶって、マフィアやローマ教会に命令を出すのだ、と証言している。

長年の取材によって見えてきたのが、上の階級のエリート集団は「オクタゴン・グループ（Octagon Group）」と呼ばれていて、スイスに総司令部を置いている。オクタゴンが本拠を置くスイスのレマン湖周辺には、約40の国際機関、180の各国外交常設使節団、400を超えるNGOが点在している。

ハザールマフィアたちの、いわば政治局や幹部会と言える上級機関＝オクタゴンのメンバーの1人が、世界経済フォーラム（ダボス会議）を主宰する85歳になったドイツ人経済学者、クラウス・シュワブだ。彼の母親はロスチャイルド家出身。

ちなみに、オクタゴンの命令で動くスイスのアラン・ベルセ大統領が「世界の戦後体制は最大の危機に直面している」と2023年のダボス会議で発言すれば、シュワブはこれに呼応するように、世界に対して悪質な脅しを繰り広げた。彼らは、この会議の中で「気候変動（＝気象兵器）」や「パンデミック（＝生物兵器）」、「戦争」、「大量の不法移民（＝戦闘適齢年齢の男性不法移民）」、「食糧不安」などの話題に触れて、暗に「自分たちのルールに基づく世界秩序（Rules Based World Order）に従わないのであれば、これらの方法を用いて人類を皆殺しにする」と脅迫したのだ。

シュワブは経済学者だが、前述したローマ王族の末裔《まつえい》の証言があったように、オクタゴンを構成するメンバーは総じて欧州の王族・貴族だ。古代エジプトのファラオの血筋にたどり着くとされるローマ貴族、オランダ王族、イギリス王族、ドイツ王族、スイス王族、イタリア王族、スペイン王族などで構成されている。

王族もハザールマフィアの一部であり、筆者が調べたところでは、例えばオランダ王族のウィレム＝アレクサンダー国王妃は、ロスチャイルド家出身のアメリー・フォン・オストフリースラント王女だ。アメリー王女は、欧州の5つのロスチャイルド家の祖、マイアー・アムシェル・ロスチャイルドの曾孫に当たる。

イタリア共和国が1946年に成立し、イタリア王国の最後の国王となったウンベルト2世の王太子、ヴィットーリオ・エマヌエーレもそうだ。彼も現在、86歳になる。母親はベルギー王家の人。ベルギー王家は、ベルギーが1830年にオランダから独立した際にロスチャイルド家から多額の資金援助を受けているという間柄だ。

ちなみに欧州王族の血筋は、彼らの家の紋章を確認すると分かるので、ここで少し触れておく。まずユダヤ王家の血筋は、旧約聖書に出てくるダビデ王につながる。ただし、彼の子孫はバビロンに侵略されて、男性の子孫もろとも滅ぶ。このため、ユダヤ王家の血筋は女系子孫につながるのだが、彼女たちが欧州王族に嫁いで欧州王族の祖となっている。紋章はライオン（Lion of Judah）。

鷲の紋章はローマ王族、カエサルの血筋だ。こちらは男系の血統だ。

◆「イルミナティ」には2つある。1つが「P3フリーメイソン」で、もう1つが「グノーシス派イルミナティ」だ

筆者には、欧州王族系の取材先がある。P3フリーメイソンと呼ばれる人たちの1人だ。

彼はローマ王族系で、ローマ皇帝カエサルの子孫だという。組織としては、バチカンの上にある。彼に近い家系としては、ハプスブルク家がある。彼らもローマ貴族の末裔で、スイスが発祥の地だ。信仰は、基本的にゾロアスター教であり、ブラックサン（黒い太陽）も崇拝するという特殊な人物だ。

P3フリーメイソンたちは何をしているのかと言えば、常に世界の体制を監視していて、隙《すき》あらば、現在の体制を倒して自分たちの息のかかった新しい体制をつくろうとしている。その時々で、是か非かを絶え間なく判断しているので、彼らが実行することはコロコロ変わるのが特徴だ。

例えば、フランスを牛耳っているハザールマフィアであるロスチャイルドが、202

3年4月にマクロンを中国に派遣して、台湾は中国のものだと発言させると、フランス国内で年金問題を理由とする暴動が起こった。この暴動を扇動しているのがP3フリーメイソンだと考えられる。中国と年金に関係はないが、暴動が起こったことが重要だ。

歴史的な話だが、かつてP2フリーメイソンたちは、共産党がロシアや中国で台頭し、米国との冷戦時代を形成、この流れを世界に広げようとしていたとき、共産党はろくでもないものと思わせるための、さまざまな活動を展開している。

例えば、1970年代、イタリアで共産党が政権を取りそうになった。そこで当局や軍とかスパイ当局が、共産テロを演出して、共産党政権樹立を阻《はば》んだ。日本でも、日本赤軍が暴れて社会を不安に陥れるという事件があったが、これもそうなのだ。

彼らは2023年6月になると、IMF（International Monetary Fund：国際通貨基金）にダメ出しを食らわせている。

アルゼンチンが、IMFからの融資の返済に、人民元とアルゼンチンが持つIMFからのドル引き出し権（SDR）を使うと宣言した。要は、ドルは一切使わないと宣言した。このときIMFはそれがいいとも悪いとも、はっきりした態度を示さなかった。

このタイミングで、またもやフランスで暴動が起こった。このときは、無免許でクルマを運転していた17歳の少年を警察官が射殺したことがきっかけになっているが、やはりこの大きな暴動が起こったことが重要で、ドルの基軸通貨の地位が揺らいでいる中、もはやIMFは必要ないというメッセージになっている。

SDRについては、アルゼンチンがSDRを行使したいとしたその以前に、元IMF専務理事だったドミニク・ストロス＝カーン（もともとフランスの経済学者・政治家）が、マスコミに対してSDRは国際基軸通貨としてドルに代わると発表したことがある。担保には、リビアのゴールドがオファーされた。このとき彼は、IMFが保有するゴールドをニューヨークに確認に行ったのだが、なかった。

この事実をフランス当局に電話で報告すると、「その携帯電話をその場に置いて、今すぐ海外に逃げろ」との指示があったそうだ。彼は指示通り、携帯を置いて空港へ行き、エールフランスのファーストクラスの席に座って、自分の携帯電話を取り寄せた時点で逮捕される。表向きはホテルでメイドを犯したわいせつ容疑で。その後、失脚する。

このときSDRの件が一旦頓挫《とんざ》している。その後、前述のアルゼンチンでSDRを使いたいという話が出てきた。それも、人民元まで加わって……。P3フリーメイソンは、IMFの体たらくに辟易《へきえき》しているのもそうだが、中国が世界を制覇することも許さない。世界で起こっている暴動などは偶発的に起こっているわけではないのだ。例えば、欧州のイスラム移民が突然、何もないのに暴動を始めたという事実はこれまでにない。

2023年1月にスウェーデンであったデモには、コーランが燃やされるというイベントが組み込まれていた。前述の、アルゼンチンが突き付けたドルなし返済に反応できなかったIMFへのダメ出しにつながる暴動も、17歳の男子を殺害するというイベントが組み込まれている。同じイベントは米国でも使われていて、2021年の黒人暴動では、黒人男性ジョージ・フロイドが警察官に殺されている。これらのイベントをきっかけに、P3フリーメイソンに雇われた扇動員が騒動を導くという流れだ。

少し前のことになるが、2017年に米国のヴァージニア州シャーロッツヴィルという町で、南北戦争の南側（ヴァージニア州は南軍の最前線だった）の将軍、ロバート・E・リーという地元で尊敬されていた人物の銅像を倒すというイベントがあった。そこで右翼、白人優越主義と、ブラック・ライブズ・マターの間に暴動が起こった。

現場を取材した知人が言うには、その白人優越主義者とブラック・ライブズ・マターの面々が、同じバスに乗り込んで現場に来ていたと。要は、どちらもP3フリーメイソンに雇われて行動していた、ということだ。

筆者は、今でも取材をさせてもらっているP3フリーメイソンの1人に、イタリアで初めて取材したとき、怖い目にあっている。

彼はドイツ騎士団の騎士で、ビンチェンゾ・マザラという男なのだが、このときはまだP2の幹部だった。取材の席で、彼が「葉巻を吸っていいか」と言うので承諾した。するとその日の夜、筆者は酷い喘息に襲われ、死にそうになった。かろうじて大丈夫だったのだが、翌朝にも彼との取材のアポがあったため、出向くと彼がいない。連絡すると「えっ、まだ生きているのか？」と。

今はその人物は、筆者の味方なのだが、このように行動がガラリと変わるのだ。その点では、それがいつ反対になるかも分からないという人物である。

もう1つ彼らの特徴を挙げるとすれば、常識では考えられない思考を持っているということだ。

なんと彼らは、銀河系の中央にあるというブラックホールからガンマ線経由で命令をもらっているという。2万6000年前に地球外生命体から命令をもらって以降、それが続いているとのこと。これは、天体の動きに合わせた政《まつりごと》の演出なのだそうだ。彼らは黒いマスクを被って、ハザールマフィアやローマ教会に命令しているとのことだ。そして彼らは、自分たちが世の中を動かしているのだ、と本気で言う。

にわかには信じがたい。しかし、彼らがローマ法王とベルルスコーニ首相をクビにすると言えば、本当にそうなる。あまりにぶっ飛んだことを信じながらも権力があるのだ。

ちなみに彼らも80代で、自分たちの後は、なんとイーロン・マスクに任せたいと言っているのだ。P3フリーメイソンは血筋を大切にする世襲が基本だが、彼の場合は、世襲のみではなく、能力のある人を引き立てるという志向も持っているのかもしれない。

その前哨戦なのか、今、大手マスコミがイーロン・マスクを救世主?として持ち上げるキャンペーンを展開している。イーロン・マスクはツイッターを買収し、マスコミに自由を取り戻したといった報道はその類いだ。製造工場建設にももっと投資をして実体経済を大きくしようとしているなど……。P3フリーメイソンの力が効いて、イーロン・マスクが米国の大統領になる日が来るかもしれない。

確かにイルミナティと呼ばれる秘密結社には、ギリシャの数学者、ピタゴラスが設立したグループもあって、彼らは各時代の天才をスカウトしている。この天才をスカウトするイルミナティは、地中海にあったアトランティス（ミノア文明）の崩壊を見て、この惑星を管理している世襲のイルミナティ（P3フリーメイソン）が悪いと、世襲に反対している。ちなみに筆者は、彼らのことをグノーシス派イルミナティと呼んでいる。

◆ハザールマフィア＝ユダヤではない

ところで、ロスチャイルドやロックフェラーなど世界経済を牛耳る一族をハザールマフィアと名づけたのは筆者だ。

今でも、世界を牛耳る闇の権力者の呼び名としてはディープ・ステートがあるし、民族としてはサバタイ派フランキスト・ユダヤと呼ぶのがふさわしいのかもしれない。サバタイ派フランキスト・ユダヤと呼ぶのは、サバタイ・ツヴィというトルコにいた人物が、1666年、自分がメシアだと触れ回った。これが基になっている。

サバタイ・ツヴィは、旧約聖書に記されている世紀末劇は、人間によって行われるべきだ、そして、それを実行するのが自分たちなのだ、と言った。そのために違う宗教になりすまし、いろいろな場所へ潜り込んだ。

世紀末劇が起これば、彼らの予言によれば人類の9割が死ぬという。生き残りは自分たちの奴隷になる。同じくその予言によると彼ら1人当たり2800人の奴隷がつくという。こういうことを実現させようとしている勢力なのだ。

ここで何が問題なのかと言えば、彼らは世界の権力の上に群がっていること。

そのために、彼ら主導で、例えばワクチンでみんなを殺そうとしている、といった話が出てくる。1962年、米国とキューバ（ロシア）との間に起こったキューバ危機のときに、ベンジャミン・フリードマンという彼らの中の上部に位置する人物が内部告発をしている。彼らが故意に全面核戦争を起こそうとしていると。とにかく、世紀末劇を起こすという悪夢の実現のため、こうした悪事をその後ずっと世界中で試みているのだ。

このほかにも、生物兵器のばら撒き、ウクライナでの全面核戦争、といった狂信的な悪事ばかりを仕掛けているから、一般的な常識では理解できるはずもない。そして彼らを筆者はハザールマフィアと言っている。

ユダヤと一言で言うと、その範囲はかなり広くなる。ハザールマフィアたちはその中の一部の集団である。筆者の計算では、1600万人いるユダヤ教徒のうちの100万人程度ではないか。

しかも、ややこしいことに、いわば東京の新宿近くの大久保地区のような様相がある。大久保には、ペルー人や韓国人、中国人、インド人などさまざまな外国人がいる。中世から近代の欧州の各都市にあった、ユダヤ人の強制居住区域、ゲットーもそのような印象なのだ。見た目にいろいろな人がいる。

これに関連して参考になるのが、映画（邦題『砂漠の女王』1960年。原題は*The Story of Ruth*）があるので、見てみてほしい。

ところでフェニキア族は子供を生贄《いけにえ》にする儀式を持っていた。大量に子供を生贄にしているのはそのグループなのだが、今でも彼らの末裔がこのハザールマフィアの集団の中に存在している。ちなみにフェニキアはベニキアであり、ベニスの商人だ。

フェニキアの血は、ベニスだけでなく、やはりフェニキア族の末裔であるカルタゴなどを介して、大航海時代の通商を通して広がった。これは欧州王族にも広がっており、特に英国王室にこれが受け継がれている。彼らも、ややこしい秘密を持っているのだ。

改めて、ハザールマフィアと呼ぶことの理由を言っておくと、次のようだ。

先ほども少し触れたが、一般のユダヤの人たちは、世紀末劇は神様がやることで、人間がやるものではないと常識的に考えている。だから、ハザールマフィアは旧約聖書を学んでいる一般のユダヤ人とは関係ない。一般ユダヤ教徒から見ると、一般仏教徒がオウム真理教徒を見ているようなものなのだ。

さらに今、情報を発信するときに、ユダヤ資本が世界を牛耳っているのだ、などと言うと、皆、長年のプロパガンダのせいで、それを聞いたとたんに思考停止状態になり、真実について聞く耳を持たなくなるようになってしまっている。

そこで、正しく彼らの実態を示していて、これまでになかった呼称として抵抗感のない名称を考え出したのだ。私がハザールマフィアと名づけてしばらく経つので、読者諸氏には、もう馴染《なじ》んでもらえていると思う。

◆ハザールマフィアの「ハザール」とは、かつて存在したハザール王国のこと

ハザールマフィアについてもう少し解説しておくと、まず彼らは、ハザール王国という今のウクライナ、カザフスタンの辺りにあった国の民族が発祥だということ。ハザール王国とは、10世紀頃までに現われたトルコ系と推測されている遊牧民の国家だ。前述のサバタイ・ツヴィもトルコにいたのだから、おそらくトルコ系だろう。

そして一番の特徴が、周辺のトルコ系民族はほぼイスラム教を国教としているのに、彼らはユダヤ教を取り入れたこと。彼らはイスラエル発祥の、元来のユダヤ人がつくった国ではないが、自らユダヤ人だと主張するユダヤ国家なのだ。ちなみにユダヤ教発祥の地、中近東でも、ハザール王国の周辺にあったトルコ系諸国と同様、今のパレスチナ人のように、7、8世紀にほとんどがイスラム教を受容している。

そして、当時のハザール人の生業と言えば、東欧の住民、スラブ人（スレイブ＝奴隷の語源）を奴隷としてイスラム世界に提供することだった。商売のためなら、商売相手を

殺して、その後はその人物になりすまして商売を続けるなど、たちの悪い民族だったと言われている。長い間、ロシアやモンゴルの支配下で生きながらえていたが、たちが悪いだけに、何度も周辺国から成敗《せいばい》されている。

ユダヤ教を取り入れた理由も、ハザール王国は国柄《くにがら》があまりにも劣悪だったため、周辺国から国教を定めてはどうかと指示され、ハザールの為政者がイスラム教徒に「ユダヤ教とキリスト教ならどちらが悪い」と尋ねると、「キリスト教のほうが悪い。ユダヤ教はまだ豚肉を食べないから」という答えを得た。今度はキリスト教徒に「ユダヤ教とイスラムはどちらが悪いか」と尋ねると「イスラムが悪い」と言う。

であれば、ユダヤ教が無難なのだとハザールの為政者たちは考え、ユダヤ教を受容したという逸話が残っている。何度も周辺国に侵略されるので、宗教戦争にはなりにくいユダヤ教を選んだという説もある。いずれにしても、ユダヤ教を受容した理由は、為政者による政治的なものだったということだ。

周辺国からの脅威もあり、ここでは生きていけないと欧州に移民し、移民先で力を伸ばしたのが、ハザールマフィアたちなのだ。時間をかけて欧州社会を乗っ取った、その一派がロスチャイルドであり、ロックフェラーである。

◆ハザールマフィアは、欧州・米国にどう分布しているのか

ここでもう1つ触れておきたいのが、欧州王族とつながるハザールマフィア、あるいはハザールマフィアとつながる欧州王族と、米国を牛耳っているハザールマフィアは考え方が大きく異なるということ。

例えば英国王室は、EUから離脱しただけあり、他の欧州の国とは少し異なるところもあるし、チャールズ国王の戴冠《たいかん》式の日が、エリザベス女王が亡くなってから、通常なあり得ない1年もたっていない、6カ月と6週と6日目という〝666の日〟だったので、彼らはいったい何者なのか得体の知れないところもある。

ただ、王室としては、緩やかな世界共和国の成立を目指している。世紀末劇の後にまったく新しい世界をつくるという考え方は持っていない。このことは中国王族とも合意している。王族たちは、この国に君臨するのではなく、長老として関わるから共和国で

よいのだ。

一方で、バイデン（米国）を管理し、ロシア・ウクライナ紛争を焚《た》きつけているハザールマフィアは、自分たちによる〝世界独裁の夢〟を諦めてないグループだ。自分たちのために世界を混乱に陥れている権力者たちにも、このような派閥がある。

注意しておく必要があるのは、では彼らは、大きく欧州と米国に分かれているのかと言えば、それも違う。大まかに言えば、米国にハザールマフィアとしては新参者のロックフェラー家がおり、欧州にロスチャイルド家がいるとも言えるのだが、ハザールマフィアは彼らだけではないし、それらが複雑に入り組んでいるため、米国内でも、欧州内でも、この2つの大派閥がしのぎを削っている、と見てほしい。

まとめると、世界の権力者にピラミッドがあるとすれば、かつては新参者ではあるが、トップにデイヴィッド・ロックフェラーがいて、次にジョージ・H・W・ブッシュとエリザベス2世が並んでいた。ところが、ロックフェラーもブッシュも死亡し、一時エリザベスがトップになったものの、彼女も亡くなって今は、トップが存在しない。

候補としては、プーチンをダミーとして動かしている人間、そして習近平。ちなみにプーチンはイーロン・マスク的な者（P3フリーメイソン）ではない。これまで述べてきたように、バイデンの裏にいるハザールマフィアは派手に動いているが、手詰まっている。このような状況の中で、かなり激しい権力闘争が起こっているのが現状と考えてもらっていい。

補足しておくと、今、イタリアの右派政党「イタリアの同胞」の党首であり、2022年10月に首相に就任したメローニが注目されているが、彼女の存在、行動にも権力者たちの権力争いが感じられる。

というのも、彼女は右派だけに、年間90万人にもおよぶと言われる移民を問題視しているのだが、移民が軍事適齢年齢の男性ばかりであることに着目、ロシア・ウクライナ紛争で反ロシアを主張し、彼らをウクライナに派遣しているのだ。メローニは、第2次世界大戦終結以降、ムッソリーニの国家ファシスト党の流れをくむ政治家として初めて政権を取った。反共産主義を唱えてきたP2フリーメイソンたちにとってみれば、頼もしい首相だ。

筆者としては、ここに、かつてのローマ帝国対ロシア帝国のライバル心のぶつかり合いを感じるし、彼女は、ローマ帝国復活派の代表として存在しているのではないかと思うのだ。――このような権力闘争が今後も展開されるだろう。

◆ハザールマフィアとイスラエルの関係に変化が見え始めた

では、一般のユダヤ人は、最近のハザールマフィアたちをどう思っているのか。

今回のロシア・ウクライナ紛争に関連するところで言えば、今のウクライナ政府は、ステファン・バンデラ（1909－1959）を信奉する、ネオナチ「バンデリスタ」を支持している。このバンデラ率いるバンデリスタは、150万人に上るユダヤ人やポーランド人を殺した集団だ。

このため、イスラエルは、このロシア・ウクライナ紛争にあって一切、ウクライナを支援しないという立場を貫いている。そして、今のウクライナの政府を立ち上げ、擁護し、ウクライナ戦争に火を付けている仕掛け人がハザールマフィアたちだと、ユダヤ人たちも理解しているため、ハザールマフィアたちに対しても敵視をしている。

つまり、ユダヤ社会も、ハザールマフィアたちに反発している状況なのだ。ロシア・ウクライナ紛争で、一般ユダヤ人とハザールマフィアたちの関係も大きく変わった。

ただし注意しておかなければならないのは、最近分かったことだが、イスラエルのユダヤ社会でも、異変が起こっているようなのだ。

と言うのは、イスラエルの在ウクライナ大使ブロッキーが、このバンデラをウクライナの国民の英雄だという演説をしたのだ。ところが、ホロコーストを追及するさまざまな組織を含め、誰も何も言わなかった。これは問題である。一般ユダヤ人としては、この発言は批判されるべきだろう、となる。

ここから類推できることは、自分たちの手で世紀末預言を実現しようとするグループ、すなわちハザールマフィアたちがイスラエルの中にもいるということだ。ブロッキーはその一味なのか……。

ハザールマフィアたちは、自分たちの同胞もイスラエルに戻る必要があると長年考えてきた。だから、資金や土地、建物をイスラエルに用意したから、行動するようにと促していたこともある。その一方で、イスラエルのユダヤ人はこれを許していない。例えば、ヘンリー・メイコウという、かつて親族がホロコーストで殺害された半セム族とも言われる活動家が、こうした動きを阻止してきた。それがほころび始めているのかもしれない。

第3章

欧米旧支配権力の黄昏《たそがれ》

——G7が少数派であることをG7の国民は知らない

◆大手マスコミは「人民の敵」だと米国民の7割が思っている

話を戻すが、実は、このハザールマフィアたちが牛耳る米国にも、中国に何もかも売り渡して、なんとかこの場をしのごうという、米国政府（ハザールマフィア）のやり方をよしとしない勢力もある。

米国改革派のリーダー的存在の1人、ダグラス・マクレガー（米軍退役大佐）は「ワシントンDCは今、内側に注意を向け、1991年以降続いている米国の社会的、経済的、軍事的な衰退に向き合う時が来ている。今こそ米国の国家的繁栄の減少を転換する時だ……」と声を上げている。

読者諸氏には、米軍の大佐ごときが、改革派のリーダーになれるのか？と疑問に思われる方もいるかもしれない。だが、米軍の大佐というのは、ハザールマフィアたちに買収されていないから大佐どまりなのであって、たたき上げの実力のある軍人が多いのが、この層なのだ。

もっと言えば、米国の第2次世界大戦中、1200万人の米軍の中に肩章《けんしょう》に4つ星を付けている将軍は7人しかいなかった。ところが今は、150万人の軍隊の中に、4つ星将軍が44人もいる。もうここまで出世してしまうと、金が渡されるのもそうだが、利権争いに明け暮れ、肝心の本業は疎《おろそ》かになっている人が多いのだ。ダグラス・マクレガーは真実も語っているが、人脈も多い。だからこそ革命を呼びかけることができるのだ。

そして何より、多くの米国民自身が目覚めつつあるのだ。

米国民は「大手マスコミを操縦して、自分たちの都合のいいほうへ世論を誘導してきたのは一部の権力者たち（ハザールマフィア）だ。そして大手マスコミは権力者の手先。だから、大手マスコミが発信する情報はほとんどがウソだ」と分かってきた。

コロナ禍の頃の米国民の世論調査によると、大手マスコミを「信頼できない」と答えた人が68％に上っている。もう以前のように、大手マスコミの発信する情報がまかり通る時代ではなくなっている。

FOXニュースの人気番組「タッカー・カールソン・トゥナイト」のキャスター、タッカー・カールソンが、保守的発言が行き過ぎだと言われ、２０２３年の4月にＦＯＸテレビをクビになった。人気者でも、ケーブルテレビでは視聴者が３００万人しかない。しかし、独立して何でもありのツイッター（現Ｘ）で発信すると1億人以上が見る。カールソンと同じような行動に出る大手マスコミの有志も増えてきた。彼らも独立し始めている。

大手マスコミに勤めていた有志はサラリーマンだったから、上の言うことを聞かなければ、食べていけないと思っていただろう。ところが、国民のほうが大手メディアを使わなくなってきているものだから、大手メディアの部数、視聴者は減り、大手マスコミの将来そのものが危うくなってきている。ちなみにＣＮＮは50万人しか見ていないそうだ。

有志は、そのような会社にしがみついている必要はなくなった。しかもカールソンのような人気者なら、独立したほうがサラリーマンのときよりも稼げるはずだ。

僭越《せんえつ》ながら、筆者が英語で発信しているブログも、月５０００万人が読んでくれている。大手マスコミの発信する情報ではなく、日本にいる筆者の情報のほうをはるかに多くの人が選んでいるのだ。もはや誰も、大本営発表を見ることはない時代になっている。

このような状況下、実際に米国民は、大手マスコミは enemy of the people ＝ 人民の敵だ、とまで言い出している。この言葉は、歴史的には権力者側が国民を煽《あお》るときに使われてきた言葉だが、今や米国民が権力者側に対して真の意味で使っていると言える。

筆者は、米国民がここまで大手マスコミを敵視している現象を「100匹目の猿の現象」だと考えている。

100匹目の猿の現象とは、宮崎県串間市にある幸島《こうじま》のニホンザルを研究者が観察していたときに発見されたと言われている現象のこと。簡単に説明しておくと、物事に興味津々で賢い猿（小さいメスの子猿）が、誰も知らなかった真実（海水で芋を洗って食べるとうまいこと）に気づいて、そこから先、その猿に影響されて周辺の多くの猿も真実に気づく。真実に気づいた猿が一定数を超えると、そこからは一気に、その真実が集団全体の当たり前になるという現象だ。

筆者も、メルマガや書籍などで真実を発信しているが、ネット社会になり、大手マスコミのいないところで真実が暴かれている。

筆者が2000年代初頭、思想家の太田龍ら一部の研究者からロスチャイルドやロックフェラーについて聞かされたとき、もっと自分でも調べようと思い英語でネットを検索すると、例えばロスチャイルドについてはたったの1行しか情報が出てこなかった。それも、イスラエルの国内のチャットサイトで「イスラエル建国に貢献したと言われている」と書かれていた。

今は、彼らの詳しい暴露情報が連日出てきている。内部告発も出ている。ロックフェラーについても同様だ。

もちろんネットも監視されており、権力者にとって衝撃的な真実が露見していれば削除される。筆者も、日本の YouTube などから閉め出されている。日本では動画配信できない状況だ。

今は科学的に認証されている真実なのだが、筆者が、新型コロナウイルスビジネスが展開されている折《おり》、日本の厚生労働省が公表しているコロナワクチンの副反応の数値には嘘が多い。実際はもっと大量に副反応が出ているという情報を紹介しただけで、即、アカウントを停止される。五万とある動画情報の中から、ピンポイントで狙ってくる。

そういう意味では、ハザールマフィアたちはYouTubeのGoogleや、Facebook、Instagramのメタを使って、かなり徹底した情報管理をしているというわけだ。

ちなみに決済手段にも検閲が入る。筆者は、英語圏の読者から対価を得るためにペイパルを使っていたが、ブラックリストに載ったため、対価を得られなくなった。その後、別の決済手段を見つけたが、これも一度、使えなくなっている。

◆バイデンは脚本を棒読みする〝役者〟だ

それでも、まず敏感な人が真実に気づき、これが広がって、今では、世の中には〝真実〟と、大手マスコミが発信する〝真実ではないもの〟の2つがあると、ほとんどの米国民が理解しているのだ。

具体的に言えば、バイデンは脚本を棒読みする〝役者〟だ、と認識している米国民が55％にも上る。テレビでバイデンがコロナワクチンの予防接種を受けている動画が流される。すると肩に刺青《いれずみ》がある。別の動画では刺青はない。このようにバイデンが役者に置き換えられた証拠が山ほど出ている。ほかにもネット上には、役者のバイデンが、より本物に似せるためのゴムの顔マスクを付けているという証拠写真も投稿されていて、誰もがその情報に触れることができる。

米国にはロサンゼルスに本社を置くクリエイティブ・アーティスト・アソシエーションという巨大なタレント事務所（本部にはピラミッドの目が描かれている）があるが、今、国民の前に現われるバイデンはここに登録されている役者なのだ。

ついでに言うと、アレクサンドリア・オカシオ＝コルテスという、メキシコ系の米国下院議員がいるのだが、彼女は外食店のウエイトレスだった。彼女は、議員タレントのオーディションを受けて議員になっている。議員はもうタレントだということ。もうこの事実も米国民に知られている。

一方で、表のマスコミも、今までタブー視された情報をつかむようになっていて、米国民にとっては、より真実を受け取れやすくなってきているという現状もある。

これは役者の話とは違うが、ジェイムズ・オキーフ（James O'Keefe）というジャーナリストが、新型コロナウイルスワクチンの製造元、ファイザーの幹部から真実を聞き出

COVID-19ワクチン予防接種を受けるバイデン
タトゥーがあったり、なかったり

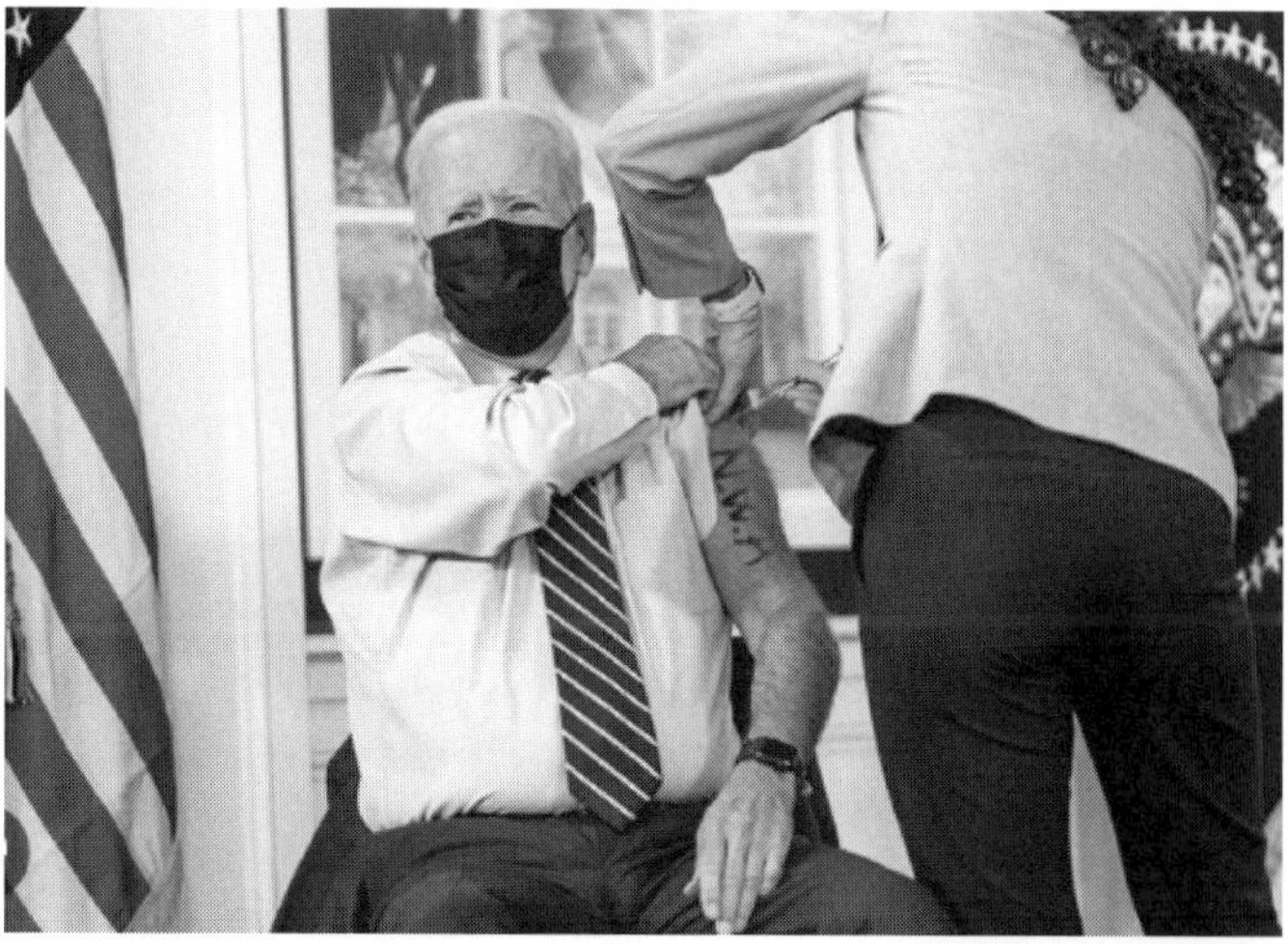

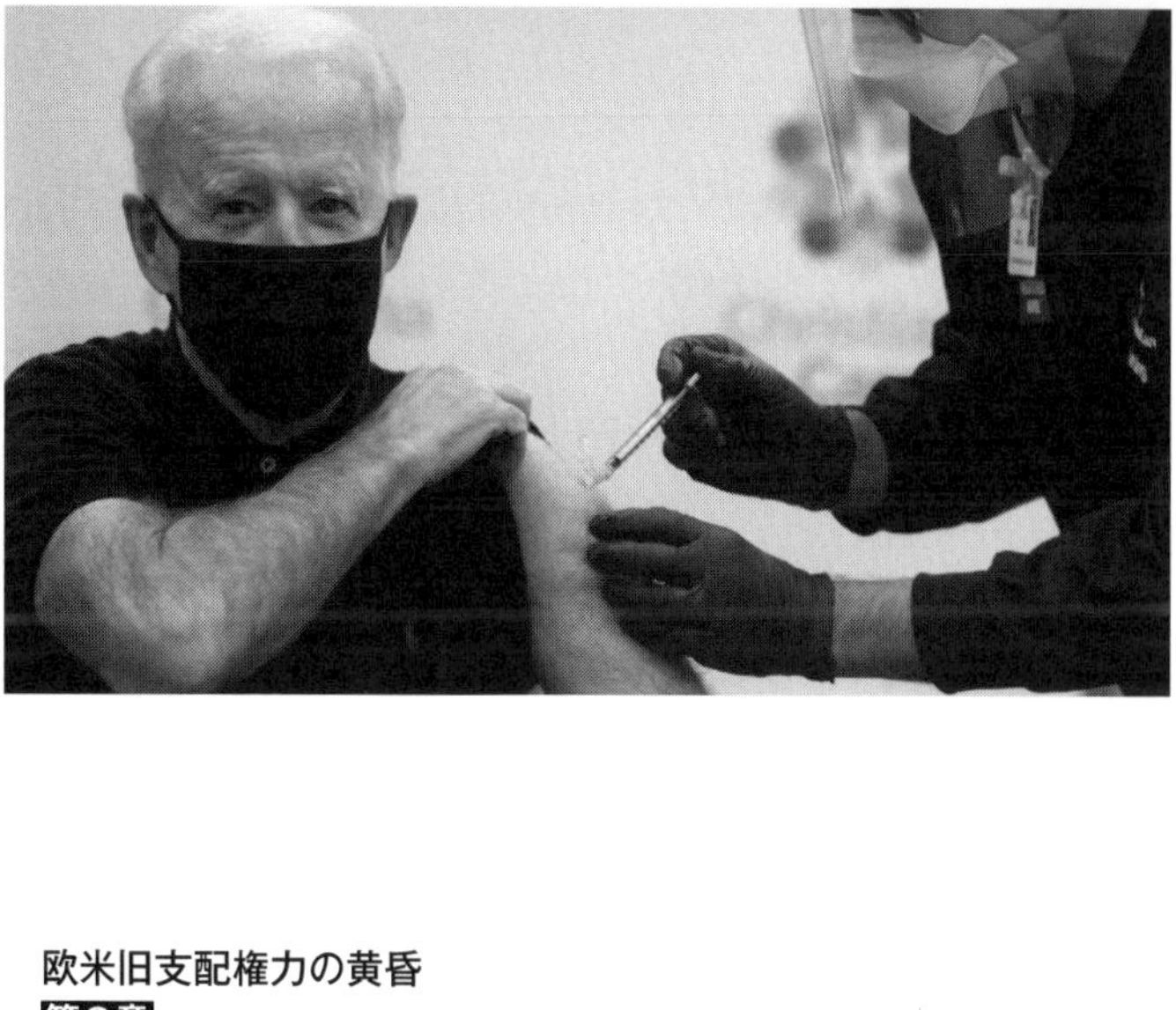

したいという隠し撮りをした。外見は威張っているファイザーの幹部が、実はゲイで、オキーフは彼に対してお相手のゲイを送り込んだ。そのゲイとの会話を収録したのだ。すると、ファイザーの幹部は、得意気に自分たちが病気を創りだして、これに効くワクチンを後から世界に売っているなど、放言した。これがネット上でバズって、米国民はファイザーがおかしいということを認識している。

オキーフは、世界最大の資産運用会社・ブラックロックのリクルーターの人を隠し撮りした。そのリクルーターが言うには、自分たちは完全に世界を管理している、誰が米大統領であろうが、大統領の財布を管理しているからだと。上院議員はたったの10万ドル（1400万円）で買収できると。これも米国民の知ることとなった。

さて今では、AIや高度な画像処理技術が進んでいるから、人間が演じなくても創り出すこともできる。筆者も、自分の顔をバイデンの顔に換えてネット上で喋ったことがある。もちろん、これはバイデンではなく私、ベンジャミン・フルフォードだと断った上で実験してみたのだが、やろうと思えば誰にでもできる時代になっている。

政界の話ではないが、創作動画は戦闘シーンなどにもある。これは笑い話なのだが、ロシア・ウクライナ紛争で、ウクライナがロシアの戦闘機を撃墜したという動画がテレビやネットで紹介される。が、よく見ると、あのスターウォーズの白い兵隊、クローン・トゥルーパーが背景にいたりする。

もはや米国民の目に触れる政界は、ハザールマフィアたちと大手企業が制作している政治ドラマでしかないということだ。ファイザーの企業活動にしてもそうだ。このような状況であるということは、本来あるべき民主主義は、維持不可能になっている証《あかし》でもある。実際、バイデンの支持率は5％にも満たないほどに低下している。あまり報道されないが、一般市民による反政府デモも、そこかしこで起こっている。

その一方で、新型コロナウイルスワクチンは悪しきものだとずっと言っている、前出（P30）のケネディ・ジュニアが支持されている。彼は今、大統領候補だが、米国の世論調査で上位にいるのだ。ドナルド・トランプ前大統領を20ポイント上回っている。これを見て、陰謀の限りを尽くしているハザールマフィアたちが、ケネディ・ジュニアに対して〝陰謀論者〟が大統領になろうとしていると、レッテルを貼ろうとしている。滑稽だ。

ケネディが、新型コロナウイルスワクチンの真実を語ることに関して、興味深い話がある――。

『ジ・アトランティック』というロックフェラーの機関誌や、そのほか大手企業のプロパガンダ・メディアに出ている博士がいる。彼はそこで、ワクチンについての悪い噂＝真実を否定して回っていたのだが、彼に、米国の人気コメンテーター、ジョー・ローガンが司会を務めるポッドキャストから出演の誘いがあった。このとき、ローガンがその博士に、ケネディ・ジュニアと討論するのはどうかと提案すると、その博士は断った。

これに視聴者が反応し、視聴者でお金を集めるから、それを出演費として受け取ってもらっていいのでどうか、という話になった。なんと、このお金が250万ドル（3億5000万円）も集まった。その博士は、ケネディと討論するだけで3億円をもらえることになったのだが、それでも断った。我々科学者は、議論ではなく、論文の主張がすべて、などと言って逃げ回っている。このこと1つとっても、真実はどちらにあるのか、分かるというものだ。

◆世界の権力者の映像は影武者だらけ。本物は岸田首相、スナク首相、ショルツ首相ぐらい

真実を知って、一般の人たちが権力者たちに対して反旗を掲げるといった状況は、世界にも広がっている。米国だけでなく、欧州諸国でも、毎日のようにどこかで大型デモやストライキ、暴動などが起きているのはそのためだ。

カナダの最近の世論調査では、81％の人間がトルドーは首相であるべきでないと答えている。逆に、例えば2023年5月にカナダのアルバータ州首相に就任した統一保守党（UCP）党首、マーライイナ・ダニエル・スミスという女性がカナダ国民から支持を受けている。彼女はジャーナリスト出身だが、ロシア・ウクライナ紛争や新型コロナウイルスワクチンについて真実を語るため、彼女もFacebookなどから閉め出されている。

実はフランスでも、マクロンは国民を代表する人物とはまったく考えられていない。このため、バイデンにしろ、トルドーにしろ、マクロンやイスラエルのネタニヤフまで彼らは皆、今、普通には街を歩けない状況なのだ。

実際、彼らが街を歩けば、ヤジを飛ばされたり、卵を投げつけられたりしている動画もネット上には溢れている。例えばマクロンが、5月にフランス北部の港湾・工業都市、ダンケルクを訪れたとき、警察の柵が事前に街中に張り巡らされており、街は無人状態だった。ここまでしなければ、マクロンを守れないわけだ。

このように西側先進国の間では、多くの国民が、役者が政治ドラマを演じていることに憤りを感じ、自分たちの前に現われるなと非難、あるいは呆れているのだ。

筆者が調べたところ、イギリスのスナク首相と日本の岸田首相、ドイツのショルツ首相は本物がテレビに出てきている。もちろん、権限はないが――。あとはもう皆、本人ではない。バイデンにしても、トルドーにしても、マクロンにしても、ネタニヤフにしても、役者に置き換えられた証拠が山ほど出ている。

さらに、もはや本人はこの世にいないことに気づき、非難のやり場を見失っている人もいる。本人がすでに他界している筆頭格はロシアのウラジーミル・プーチン大統領だ。テレビや動画で見られるプーチンは役者というより〝影武者〟と言える。今のプーチンは、7代目の影武者が務めている。7代目は2022年のロシアの軍事パレードで登

まるで戒厳令《エタ・ド・シエージュ》と揶揄されたマクロンのダンケルク訪問（2023年5月12日）

封鎖された柵の中で、マクロンは工場労働者たちを前に演説

場した。

もともと筆者は、ソ連の秘密警察だったＫＧＢ（Komitet gosudarstvennoy bezopasnosti）が前身に当たるロシア連邦保安庁（Federal Security Service of the Russian Federation：ＦＳＢ）に所属していた人間（女性）と会って、何年も前にこの話を聞いていた。当時彼女は、オリガルヒ（ロシアの新興財閥）を警備する警備会社の社長を務めていた。

このとき、裏取りをしようと調べていると、『ヴェルト（*Die Welt*）』というドイツのメジャーな新聞に、プーチンの妻の談話として、夫が殺されて役者に置き換えられたため離婚したという記事が載っているのを発見した。これは間違いないだろう。

プーチンが影武者であることは、読者諸氏もご存じなのではないだろうか。というのも、ＡＩによる顔認証でプーチン顔の特徴を検証すると、これまでテレビに登場した何人かのプーチンが偽物だったことが分かったとＴＢＳ（東京放送）の動画で報道されていたからだ。

このときのＴＢＳの動画は今でも見られるので、興味のある読者は見てほしい。プーチンの１９９０年代の時の元々のプーチンの顔、これと現代のプーチンの顔を並べて比

現在のプーチンは第７代目プーチンだ

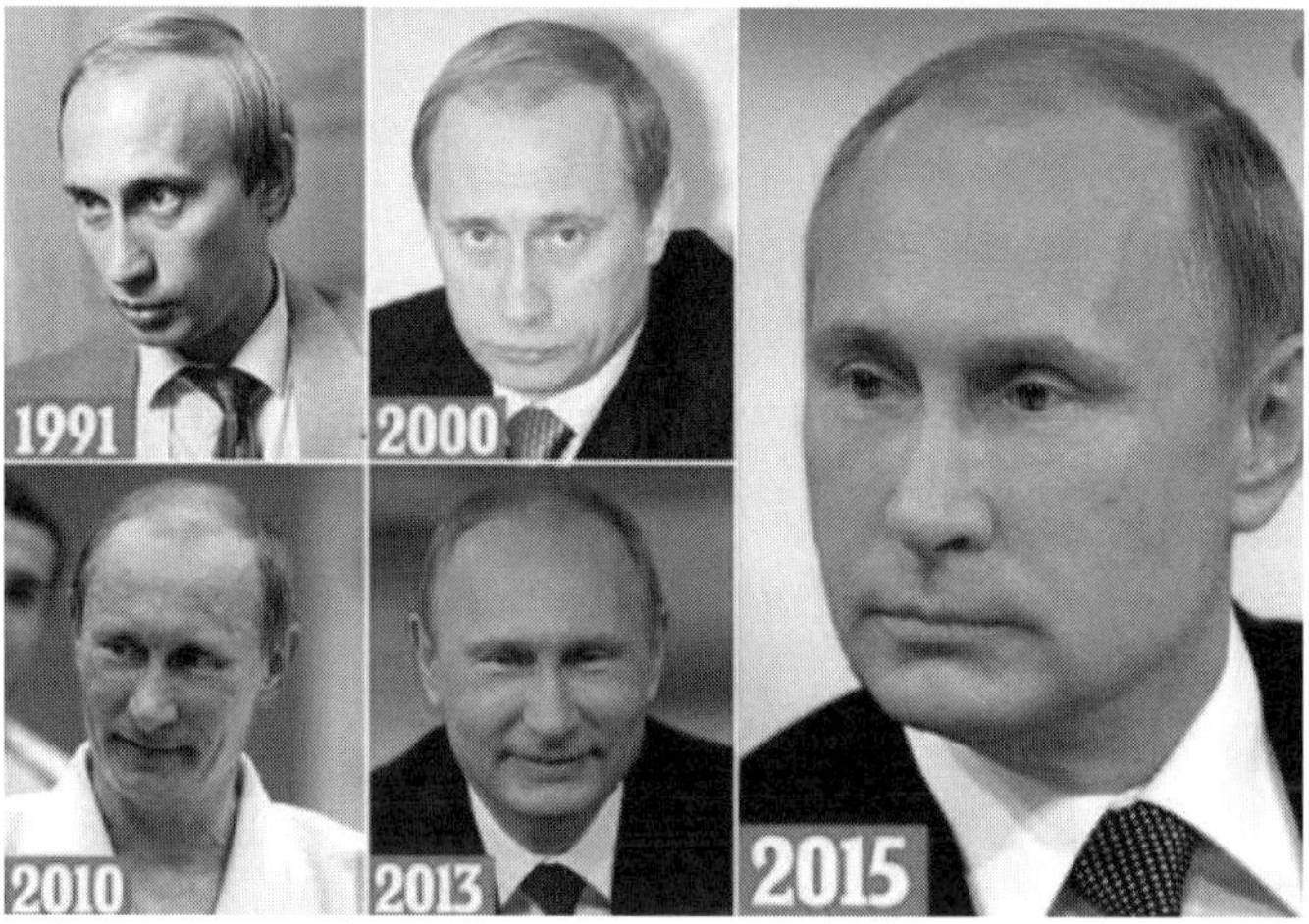

べてほしい。目から口、顎先《あご》までの比率など、整形手術では変えられないところがある。AIの顔認証でなくても違いがよく分かる画像がある。

TBSのこの動画報道を見て思うに、この報道自体、西側のプーチン批判の一環なのかもしれないが、批判の対象である大手マスコミでも、一部真実を明かさざるを得ないという時代にもなっているということではないだろうか。

実際、大手マスコミが毛嫌いされている米国でも、最近では、バイデン政権に対して辛辣《しんらつ》な質問を浴びせるといったことも出てきた。

例えば、政府の政策発表記者会見の場で、バイデンの息子のハンター・バイデンが、バラク・オバマ元米大統領時代に中国から工作資金を受け取り、中国との外交問題を解決してきたという中国側からの暴露話を受けて、記者が「今、ハンターさんはお父さんと一緒にいるけど、賄賂《わいろ》はいつ米政権側に流れるのか?」と聞いた。すると、スポークスマンは不快な顔を露わにして、パソコンの画面をぱたんと閉じて会見場からさっと逃げる、といった録画されたシーンが見られるようになった。

いくら洗脳された大手マスコミの記者でも、追及すべきは追及すべきではないか、と考える人物も出てきているのだ。ちなみにこのハンター・バイデンは、彼が関係していたウクライナの会社の幹部から500万ドルを提供されている。

さて、プーチンだが、彼についてはこのほかにもネット上にその時々のプーチンの耳の写真などが挙がっていて、違いがよく分かる。

状況証拠として、本物のプーチンは若い頃にドイツに滞在していたからドイツ語が堪能《たんのう》なのだが、後のプーチンはドイツ語を喋れないといったものもある。笑い話のようだが、プーチンの影武者については、もう7代目にまでなっているため、伝言ゲームのようにだんだんと本人から離れていっているという指摘も出ている。

では、ロシアの政治は誰が動かしているのかと言えば、駐日ロシア大使館にも勤務していたこともあり、16年前の2007年から露外務大臣を務めるセルゲイ・ラブロフや、2012年に国防大臣に就任したセルゲイ・ショイグ、税務当局の要職を歴任し2020年から首相を務めているミハイル・ミシュスティンらと、ロシア正教会だ。ちなみに西側の政治はハザールマフィアから指示を受けて動くが、ロシアではロシアの政治家と宗教家が担っている。

本物が存在しない政治家の代表的なもう1人は、トルコのレジェップ・タイイップ・エルドアン大統領だ。トルコでは2023年5月に総選挙があり、エルドアン率いる共和連合がぎりぎり過半数を超える得票率で再選された。だが、実際にはエルドアンはこの選挙の前に殺されている。これが明るみに出ると困るのは米国だった。野党は米国反対派だったからだ。そこで米国が、あまり優秀ではない影武者を立てて現状維持を図ったというのが真相だ。

そのうち日本でも、背が高くてたくましく二枚目で、まさにミスタージャパンと呼べるような人物を選ぶか、創作したアバターが、官僚が作ったセリフを喋るという時代が来るかもしれない。そして、それのほうが受けがいいという理由で、まさに〝アバターによる政《まつりごと》〟と呼べるスタイルが定着していくということもあり得る。

◆バイデンはオバマを隠すための影武者。影武者にはさまざまな役割がある

影武者について理解を深めてもらうため、影武者について少し言及しておこう。

例えばプーチンの影武者については、プーチンは中身が誰になろうとも、プーチンという存在はある、という役割を担っている。影武者についていろいろ調べると、実は古代バビロニア、メソポタミアの時代から、その役割があったようだ。

古代社会での王は、すべてを取り仕切る統治者だ。法を決め、軍隊・行政のトップであり、裁判官であった。王の下には、土地の問題やら何やらすべての懸案事項が持ち込まれ、朝から晩まで執務に没頭しなければならなかった。

こうなると、王は身動きが取れない。お気に入りの女性の許へ行くこともままならない。筆者も、現代の国の権力者の仕事について問うたことがある。すると「朝から晩までスケジュールを隙間なく詰め込まれ、行動管理されるのはつらい」と。確かにこれでは、すべてを取り仕切ろうとすれば王は何人いても足りない。そのため、影武者が置かれるようになった。あまり重要でない場面では、影武者が代わりを務めればいい。

王は、その王の治世が批判を浴びるようなものであったり、あるいは権力争いがあったりすれば暗殺もされる。例えばジョン・F・ケネディ米大統領の暗殺で、そこから米国の政治がガラっと変わった。暗殺者側から見れば、当事者1人を殺しただけで簡単に世の中を変えることができた。逆に政権から見れば、相当リスクのあることだ。政権側は、安全装置としても影武者が必須だと考えている。

歴史的な影武者の事例で面白いのが、ロシアのピョートル・ロマノフ大帝がオランダを訪問したときの逸話だ。

ピョートル大帝は大きな体格の男だったのだが、社交パーティーに現われたのは小柄の男だった。影武者だ。影武者の小柄の男はこのほかにも王として数々の外交活動をこなした。一方、本物のピョートルはその間、何をしていたかと言えば、オランダの造船所で肉体労働をしていたのだ。当時、オランダは世界一の造船技術を持っていたから、現場で働くことでその技術を盗んだわけだ。この後、ピョートル大帝はロシア海軍をつくった。

もっと深い意味での影武者もある。

これは今のバイデンの例だが、現在の民主党の実権は、実はオバマが持っていて、さすがにもうオバマは大統領選に出られないので、代わりにバイデンが単なる表舞台用の大統領として国民の前に立っているという説がある。米国の今の政権は、第3期オバマ政権というわけだ。これも一種の影武者と言えるだろう。

ちなみに2009年1月のオバマ政権の誕生は、米国でリーマン・ショックが起こった翌年のことだが、これには、前述したリーマン・ショックで失ったドルの穴埋めに使われた700トンの金を担保にして発行したドルとの因縁があるのだ。

リーマン・ショック以前、ハザールマフィアたちは新通貨の発行を試みようとしていた。この頃はすでにドルが溢れていたため、早晩、ドルが暴落することが予想されていた。そこでハザールマフィアたちは、読者諸氏なら聞き覚えがあると思うが、新通貨「アメロ」で打開しようとしたのだ。

実際にこれを印刷して、中国や日本など米国の債権国にこれを持ち込んだ。

1ドルは2アメロに換算（持っている価値の5割引き下げ）するというのだが、債権国が、このような得体の知れないものを、はいそうですかと、自分たちが大量に持っているドルと交換するわけもない。債権国には、それまでにクルマや石油、衣料品や玩具など、さまざまなものを米国に売って、代金として受け取ったドルが大量にある。債権国は新通貨を受け入れないばかりか、今後は、まともなドルでない限り、ドルを使うこと自体再考せざるを得ないと〝ドル離れ〟も示唆した。ドル離れは、米国離れに通じるが、そこには今大きな流れが来ているので後述する。

以上のようにハザールマフィアたちの思惑は外れ、結果、リーマン・ショックにつながる。

そして、リーマン・ショックの穴埋めに、アジア王族のゴールドを使って多少まともなドルを発行したが、ついにこれも2020年1月までに底を突いたという流れだ。

念のため追記しておくと、この流れの中に2017年1月から2021年1月まで続いたトランプ政権があった。トランプの任期中にドルが底を突いているわけだが、彼は、中国に対する追加関税の導入など厳しい対中政策のほかに、シェールオイル革命を推進、米国の石油輸出を増やすなど、とにかく〝稼ぐ〟ことに注力した。このほかにも、グリーンランドやベネズエラの鉱物利権を獲得しようとした。が、挽回には至らなかったわけだ。

もともと、アジア王族たちが、自分たちのゴールドをドルの担保に使うことの交換条件として提示したのが、黒人の共産主義者を米国の大統領に据えることだった。これがオバマだ。

ちなみに、英国のヴィクトリア女王が、夫が死んだ後、年配になってからドイツで娘を産んでいるのだが、その娘の子孫が、ナチス党のアドルフ・ヒトラー総統であり、アンゲラ・メルケル元ドイツ連邦首相であり、オバマなので、オバマは英国王室系、ヒトラー系とも言える人物だ。

このように、王の影武者は、歴史的には常識のように、王の代わりに働く助っ人として、あるいは本物の王を隠すためにも存在したのだ。

◆加速する米国離れ、孤立するG7

さて〝米国離れ〟の話だが、そもそも今の西側先進国、G7（Group of Seven：主要7カ国首脳会議）が世界のGDPの中のどれぐらいを生み出しているかと言えば、それは約30％（購買力平価ベース）でしかない。G7が設立された1980年代は、G7のGDPは世界の約7割を占めていたから、かなりの低調ぶりである。しかもG7は世界の人口の11％しか占めていない。日本のマスコミも、特別このような現実には触れない。そのため多くの人が、G7が世界をリードしていると勘違いしている。

一方、G7以外の世界は、ハザールマフィアたちが西側諸国を使って、自分勝手な行動をし続けていることにも辟易《へきえき》しているが、西側のこの程度の経済的優位性で、経済をリードしていると言われても、信用ならないわけだ。

7月、エジプトの財務大臣が、自国で保持しているドルと、2020年以降に米国で発行されたドルとを識別すると発言した。自分たちが商売をする際は、紙切れのドルは使わない。紙切れのドルで支払おうとしてもダメだ、と言っているのだ。

8月に開催されたBRICS《ブリックス》（Brazil, Russia, India, China, South Africa）首脳会議で、エジプトもBRICSの一員となったが、ブラジル、ロシア、インド、中国、南アフリカを中心とするBRICSや、中国、ロシア、インド、パキスタン、イランと中央アジアの国々、計9カ国が参加する上海協力機構などが、大きく経済を動かすようになっている。エジプトは、これらの経済圏でドルを決済に使う場合は、自分やBRICSや上海協力機構の国々が持っているまともなドルだけを交換する、と宣言したことになる。当

2023年8月22-24日、南アフリカで開かれたBRICS首脳会議で従来の5カ国に加え、サウジアラビア、アラブ首長国連邦(UAE)、イラン、エジプト、エチオピア、アルゼンチンの6カ国の新加盟が認められ、加盟国は11カ国になった

左からブラジル・ルラ大統領、中国・習近平国家主席、南アフリカ・ラマポーザ大統領、インド・モディ首相、ロシア・ラブロフ外相

会議には新加盟が認められた6カ国を含め70カ国以上が招待された。フランスのマクロン大統領も参加の意思を表明したが、BRICS側から断られた。

然、ＢＲＩＣＳや上海協力機構に参加する国々もエジプトと足並みをそろえるはずだ。

ちなみにドルがコントロール不能なところまで膨張しているのに大暴落に至らないのは、この使えるドルがあるからなのだ。

奇妙に聞こえるかもしれないが、たとえて言えば、ある街の商店街や祭りでしか使えないクーポン券、あるいは特定の自治体の地域振興券のようなものが発行されることがあるが、ドルは今、そのようなものになっている。

ぱっと見の見た目と数字上は変わらないから、ハザールマフィアたちは紙くずドルをロンダリングできれば、これに越したことはない。

前に触れたウクライナへの寄付もそうだが、マネーロンダリングは主に株式市場経由で行う。自分たちの支配下にある企業の資本にしてしまえば、紙くずドルも自由になる。マネーロンダリングのためにつぎ込んだ資金で株価が上がれば、ドルを増やすことにもつながる。

例えばテスラの時価総額は、今や世界の残りのすべての自動車メーカー会社の時価総額を合計した額より大きい約７５００億ドル（約１１０兆円）にも上る。一時は１兆ドルを超えた。世界の自動車の年間生産台数は約8000万台だが、テスラの2022年の生産台数は140万台程度に過ぎない。同社の株は、ハザールマフィアたちのマネーロンダリングに頻繁に使われているのだろう。

このようにテスラの株が扱われていることは、イーロン・マスクにとっても、もちろんメリットがある。前に、P3フリーメーソンがイーロン・マスクのことを持ち上げ、ゆくゆくは米国大統領に据える可能性もあると触れたが、こうした関係があるというのは、彼が両方の側から引っ張り合いの対象になっている、ということでもある。

第1章で、カナダでは簡単にカナダドルに変えることができた米ドルを、日本では交換できなかったという逸話を紹介したが、ということは、すでに日本でもまともなドルと紙くずドルを識別しているわけだ。識別には、紙幣に刷られている数字やアルファベットの列で記されている記番号を使っているようだ。念のため付記しておくが、ドルは、FRBだけが造幣《ぞうへい》しているわけではない。中国や日本でも刷っている。

前述のBRICSは、BRICS5カ国のほか、今ではアルゼンチン、エジプト、エチオピア、イラン、サウジアラビア、アラブ首長国連邦（United Arab Emirates：UAE）

の6カ国が参加している。また上海協力機構は、9カ国のほか、ベラルーシ、中近東のアルメニア、アゼルバイジャン、トルコ、シリア、エジプト、イスラエル、カタール、クウェート、バーレーン、イラク、サウジアラビア、アジアのモンゴル、バングラデシュ、ネパール、スリランカ、ミャンマー、モルディヴが何らかの加盟を表明している。もはやこれらは政治・経済連携として一大勢力になっているわけだ。

注目してほしいのは、BRICSにイランとサウジアラビアが一緒に参加していることと、同様にイランが正式加盟している上海協力機構にも、サウジアラビアは参加表明していることだ。3月には、中国の仲介によってこの2国は7年ぶりに国交を開くことに合意した。加えて、地域安全保障の重要性に鑑《かんが》み、協力関係を強化するとまで言及している。このニュースには、筆者もだが、読者諸氏も大層驚かれたことだろう。

これまでの、ハザールマフィアたちのシナリオで動いていた世界から見れば、日本と北朝鮮が軍事同盟を発表したかのような大変化である。こうした動きに対して、米国（ハザールマフィア）は動かなかった。動いているのかもしれないが、もはや影響力はない、結果は変わらない。

米国はこれまで、さんざんサウジアラビアに肩入れしつつ自分たちへの利益誘導を図ってきた。その一方で、自分たちの言うことを聞かないイランに対しては、世界が悪者扱いするように仕向け（なお、日本は歴史的親好を重視、なんとかこれに同調しないよう努力してきた）、サウジアラビアやイスラエルとイランが対立するように仕掛けてきた。が、このハザールマフィアたちの圧力を跳ね返す力を、中国や中近東が自分たちの考えで独自に発揮するようになってきたということだ。

中国は、もはやハザールマフィアたちの上を行く存在になりつつあることを述べてきたが、中近東も、そうした力を付けてきたのだ。

イランは、もともとイラン国内でテロなどが起これば、米国や世界の傲慢な者たちの仕業であると断言してきたから、そのスタンスは変わらない。しかし、今それだけでなく、サウジアラビアが、もう米国はけっこうと三行半《みくだりはん》を突きつけつつあると見ていい。その理由としては、ハザールマフィアたちの横暴もそうだが、すでに中国との貿易額が、石油や自動車を含め、米国との貿易額を上回っているという、米国依存経済から脱しているという現状もある。

ちなみに、サウジアラビアとイランが国交を回復するという大きな変化が発表される前段階として、２０２２年12月に習近平のサウジアラビア訪問があった。サウジアラビアはこれに合わせ、第1回中国・湾岸協力会議サミットと第1回中国・アラブ諸国サミットを開催している。

中国・湾岸協力会議には、カタール、バーレーン、クウェート、オマーン、アラブ首長国連邦（ＵＡＥ）が参加し、湾岸地域と中国の自由貿易圏設立などが検討された。このとき、習近平は石油・ガス貿易で人民元決済を拡大していくと発言したので、これも大きな話題となったのは記憶に新しいところだ。

中国・アラブ諸国サミットでは、中国・湾岸協力会議メンバーのほか、エジプト、イラク、ヨルダン、レバノン、イエメン、リビア、スーダン、モロッコ、チュニジア、アルジェリア、モーリタニア、ソマリア、パレスチナ自治区、ジブチ、コモロが参加した。

◆インドを味方につけようとするG7。だがインドは全方位外交を堅持

ドル離れ、米国離れ、西側離れは中近東やアジアに限らない。アフリカもそうだ。

アフリカでは、フランスの元植民地だった国々から、次々とフランス軍が追い出されている。その代わりにロシアの軍事会社ワグネルが入っている。フランスの外交官らは、これに対してロシアに異議を申し立てるのだが、フランスは、植民地時代はもちろん、今でもアフリカの国々を平等扱いしてなかったのではないかと返されれば、フランス側はぐうの音も出ない。英国の元植民地には、今のところロシア軍が入ってないため、英国のアフリカに対する態度はまだましだったのか、何か別の理由があるのかもしれない。

このほか、モスクワに次ぐロシア第2の都市、サンクトペテルブルクで毎年開催されるサンクトペテルブルク国際経済フォーラム（第27回が2023年6月に開催）には、130カ国から1万7000人以上が参加した。フォーラムの主賓《しゅひん》としては、アラブ首長国連邦、アルジェリア、アルメニア、南オセチア、キューバの大統領や首相などが迎えら

れている。

このフォーラムは、年々活性化してきているようなのだが、昨年までの参加と比べてアラブ首長国連邦、中国、インド、ミャンマー、カザフスタン、キューバが最多数の参加者を派遣している。そしてなんと、これらの国々と同様、2023年に最多数の参加者を数えた国に米国も入っているのだ。大手マスコミからは、とにかくロシアは孤立していると報道するが、実態は以上のような状況だ。


2023年9月に開催されたG20サミット（欧米G7主導による、G7参加国、EUおよび新興国12カ国の枠組み）に関連して、CIA関係者への取材によると、ハザールマフィアたちはインドを懐柔《かいじゅう》するために「インド系の英首相リシ・スナクに続いて、インド系の米副大統領カマラ・ハリスをアメリカの大統領にする」と約束したようだ。

が、インドのモディ首相が口説き落とされていない。伝統的にインドには、「対立する陣営のどちらかに属する」という考えはなく、以前から何度も「中立の立場で、どの国とも平等に付き合いたい」との考えを世界に発信している。例えばロシアとの関係について言えば、インドとロシアは歴史的にずっと友好関係を築いている。その関係を捨てて、いつ裏切るとも分からない欧米G7側につくことはない。

今回のG20サミットで注目だったのは、インド政府は自分たちの国名を「バーラト（Bharat）」と表記していたことだ。バーラトとはヒンディー語で「インド（India）」を指す言葉で、憲法上ではインドと並ぶ正式国名なのだ。これは、日本政府が国際会議の場で、突然「Japan」ではなく「Nihon」と名乗りだすようなものなのだ。

さらには、アフリカを丸め込む作戦も上手くいかない。同じ9月、欧米勢はケニアの首都ナイロビで「第1回アフリカ気候サミット」を開き、各国に参加を呼びかけたのだが、国連のグテーレス事務総長やアメリカのジョン・ケリー気候変動担当大統領特使、EUのフォン・デア・ライエン欧州委員長などの欧米勢はそろって出席したものの、結局アフリカは3分の1以下の国しか参加しなかった。

現在、G20国家（G7以外）は皆「国際会議に参加するなら、経済協力などの議論に専念したい」というのが本音だ。「ウクライナが危ない、ウクライナを支援しなければ……」と壊れたレコードのように同じテーマ、論調を延々と繰り返しているのは今どき

Ｇ７国家だけである。

Ｇ20サミットでの傾向は、同月にあったＡＳＥＡＮ＋の会合でも見られた。ロシアのセルゲイ・ラブロフ外相は、そうした状況を以下のように述べている。


西側諸国はウクライナ問題を持ち出すためにさまざまな口実を使い、ＡＳＥＡＮ会合の建設的な取り組みを台無しにしようとした……

そうした試みに他の国々はうんざりしている……

この会合の目的は、何より「地域諸国の持続可能な発展、食料とエネルギーの安全保障分野の解決、緊急事態への備えの改善、デジタル経済の導入……」等々の問題に取り組むことだ……


ハザールマフィアたちは、今年の秋に「新型ウイルスの流行再発」も計画しているようだが、今のところ誰も相手にしていない。

最近も「新型コロナ感染者が増加している」とメディアや国際機関を使って危機を煽

ろうとしているが、WHOによると新型コロナ感染者の推移について報告しているのはWHO加盟国の4分の1にも満たない43カ国だけ。入院に関するデータも提供しているのは加盟国の10分の1（194カ国のうち20カ国）だけだという。

私の信頼できるインフォーマントたちは、2023年7月11〜12日に開かれたNATO（北大西洋条約機構）首脳会議の結果を見て、「これで、もうロシア・ウクライナ紛争は終わった」と話している。これまであまりに膠着状態が続いてきたが、ハザールマフィアたちの〝一発逆転狙い〟の仕掛けも不発に終わり（後述する）、このままだと自分たちNATOにもまったく利はないと、各国首脳はよく分かっているそうだ。

保守系団体、欧米（特に米国・英国などのアングロサクソン圏）の「愛国者国際同盟（The Patriots International Alliance）」を名乗るグループが、ハザールマフィアたちが手をこまねいているのを見てか、ハザールマフィアたちとも交渉、ロシア・ウクライナ紛争を終わらせるための会議の開催を取り付けたようだ。筆者がこれ以前に取材したところによると、ロシア・ウクライナ紛争の終結には、ロシア正教会も動くという情報があったため、教会側も、愛国者国際同盟となんらかの話し合いの場を持った可能性もある。

愛国者国際同盟は、以下の文書（英語）を世界中のジャーナリストやマスコミに送信し、ロシア・ウクライナ紛争が、以下のような条件で終結することを知らせている。

ここにそのプレスリリースを翻訳して一部抜粋して紹介しておきたい。


世界の安全保障のために愛国者国際同盟（以下、同盟）は、ウクライナ戦争がもたらす核戦争の危険を防止し、国際的な平和を推進するため、ロシアとウクライナの両国に対して無条件の即時停戦を呼びかけ、和平交渉の実施を目指す。

その際、同盟はアメリカ合衆国大統領、欧州連合、ロシア、ウクライナ、NATO（North Atlantic Treaty Organization：北大西洋条約機構）に対して、ウクライナへのあらゆる軍事作戦と支援を停止し、停戦に向けたサミット（首脳会議）に移行するよう要請する。

このサミット会議では、和平交渉の要件（ウクライナの将来、紛争と破壊地域の再開発計画）が概要として示され、確立されることになるだろう。平和サミット会議は、約30名の代表を招待し、２０２３年に開催される予定だ。……（中略）……当同盟は、関係国に対して以下の勧告を採用するよう提案する。

1．ウクライナへのありとあらゆる形態の支援（軍事および情報）を直ちに停止すること。

2．ウクライナ領土内で、いかなる形態であれ奉仕しているすべての米国および英国の国民を速やかに本国に帰還させること。

3．米国と英国によるＡＦＵ（Armed Forces of Ukraine：ウクライナ軍）の訓練を中止すること。

4．ロシア連邦とウクライナの無条件停戦交渉を以下の事柄（a、b）を踏まえて開始すること。

（a）国際的なロシアの不満に対する認識

Ⅰ．ドンバスでのＡＦＵおよび関連機関による過去10年間の人道に対する罪。

Ⅱ．ウクライナに、米国国防総省の生物兵器研究所を設置していることがロシアの国家安全保障に対する脅威であること。

Ⅲ．米国および他のNATO諸国がウクライナ内政に積極的介入することにより、ウクライナ国内での反ロシア感情が促進されていること。

（b）地域の安全を推進するため、ウクライナに対してロシア連邦との平和的妥協を求めること。

さらに、関連の外交関係者によると「水面下では、ロシアとNATOの間でウクライナに関する和平条約の骨格もすでに出来上がっている」と話している。大きな骨格としては、ウクライナの黒海に面した地域がロシア領土となる見込みだという。ただし、ウクライナで3番目の大きな都市であり、港湾都市であるオデッサについては非武装地帯とし、かつての香港のような自由貿易ゾーンにする予定であるとのこと。であれば今後、ウクライナは問題なく穀物や資源などの輸出ができるようになる。

さらに黒海東岸にあり、事実上の独立状態にあるアブハジア（Abkhazia：国際的にはジョージアの一部とされている）が、正式に独立国家として認められることになる。

もちろんその和平条約では、犯罪組織まがいのウクライナ、ウォロディミル・ゼレンスキー政権の一掃も約束されている。また今後、ドイツで30万人規模の強力なＮＡＴＯ軍隊の新設が認められる。ただし条件として、その軍隊はロシア領土を脅かさない程度の規模に限定されるとのことだ。

第4章

ロシア・ウクライナ紛争の真実

——「プリゴジンの乱」とは何だったのか

◆ロシア・ウクライナ紛争の終結とともに米国のバイデン政権が終わる

ペンタゴン関係者は「ロシア・ウクライナ紛争の終結とともに米国のバイデン政権が終わる」としている。実際に今がその過程にあることを示しているのが以下のニュース記事だ。

共和党のマッカーシー米下院議長は7月27日、ツイッターで「下院共和党の調査で、内国歳入庁（米国の国税庁）の内部告発者の主張が正しいと分かれば、バイデン（政権）のガーランド司法長官の弾劾《だんがい》調査を始める」と断言した……

この弾劾調査の内容が、強烈だ。後で詳述するが、バイデンはウクライナで人身売買ビジネスに関わり稼いでいるのだ。これについて追及される。

バイデン周辺では、大きなスキャンダルが次々と出ており、大手マスコミなどいわゆる大本営発表の中で泳いでいる人たちでも違和感を持っている。要するに、表で伝えられているロシア・ウクライナ紛争の状況と実態が違う。バイデンは、オバマの影武者と言っていいが、ヒラリー・クリントン元米国務長官などを含む、このオバマ周辺が実におぞましいのだ。

これについてＣＩＡ関係者は、「手続き上、まずは司法長官を弾劾訴追することが、バイデン本人を含めた政府関係者の逮捕につながる」と伝えている。ウクライナのゼレンスキー政権が一掃されれば、バイデン一家が、ウクライナで人身売買や臓器売買、武器売買などの犯罪に深く関与していたことが表沙汰となり、バイデンが失脚するのは時間の問題となる。

こうした状況の中、複数の関係者が「ついにこの8月中にアメリカのロックフェラー体制が崩壊し、早ければ年内から新しい仕組みが稼働し始める」と見ている。これに関連して、米国軍はまずバイデンに対する弾劾手続きの実施状況を見守り、それが終わってから動き出すようだ。

ちなみにドナルド・トランプ米国前大統領も、バイデン逮捕のために独自の活動を展開している。

トランプ自身も、新型コロナウイルスビジネスを推進していたし、自分の政策に不都合なものは法に則《のっと》らず、暗殺もいとわないという人物。

2019年6月、朝鮮半島中間部にある朝鮮戦争停戦のための軍事境界線上の地区、板門店《はんもんてん》で金正恩と会見した際、トランプが彼に電磁波を照射したことにより、数週間後には金正恩を死に至らせた、という情報がある。この後、明らかに顔が違う影武者が出てきたことは、読者諸氏も認識されていると思う。

もっと言うと、北朝鮮の今の実権は、金正恩の妹・金与正《キムヨジョン》が握っていると考えられる。また2020年1月には、イランの軍人、ガーセム・ソレイマニ司令官を殺害している。彼は、イスラム革命防衛隊の一部門で、イラン国外でも特殊作戦を実行する部隊を率いていた。

筆者に言わせれば、トランプは、戦争こそ起こさない米国大統領だったのだが、このように子細に彼の行動を見ると、小悪魔的な存在だ。そのため、生粋《きっすい》の愛国者とも言えないのだが、彼の行動は興味深い。

2023年7月、トランプが、大統領時代、官邸の機密資料を自宅に持ち出したという疑いで起訴された。だがこれは解《げ》せないことで、大統領が官邸の資料を持ち出すことは違法ではない。そのため実際、すぐに釈放されている。

トランプがこの芝居?でつくり上げたかったことは、大統領経験者を任期中の疑惑で起訴できるという前例だった。バイデンの、賄賂《わいろ》、マネーロンダリング、人身売買などの悪事は、表のマスコミには出てこないが、議会では周知のことになっており、逮捕できる環境が整えば、いつでも逮捕できるというわけだ。そのための行動だったと言える。

◆ワグネルの反乱(プリゴジンの乱)の真相

さて、前述したロシア・ウクライナ紛争での、ハザールマフィアたちの一発逆転未遂劇についてだが、2023年7月に、ウクライナ政府軍と戦っているとされるロシアの民間軍事会社(private military company:PMC)、ワグネル(Wagner Group)が、ロシアに反旗を翻《ひるがえ》したという報道があった。これが、ロシア・ウクライナ紛争最後のハザールマフィアたちの悪あがきだった。

読者諸氏にも、この出来事は記憶に新しいと思うが、ワグネルの反乱は当初の報道とはまったく違う結果に終わっている。結局、表では詳しい続報もなく、このワグネルがどうなったのかさえ伝えられていない。

この反乱についてロシアのFSBにこの報道について聞いてみた。真相はこうだ。

FSBのメンバーによると、報道で流れた映像や音声は、ワグネルのサイトがハッキングされ、AIで創られたワグネルの社長、エフゲニー・プリゴジンが、ロシアに反旗を翻したと喋るディープフェイクだった。ワグネルのサイトに、そのようなMP3ファイルがアップされた。シナリオ通りに時間を追って発信された。おそらくこれまでマスコミで放映された数々の映像データを基に創られたものだ。

ロシア・ウクライナ紛争の行き着く先には、ロシア側が、ウクライナの原子力発電所を破壊する、ダムを決壊させるといった、破壊的なサプライズがあるのではないかと言われていたのだが、結局、今回の紛争は、最初から最後まで、紛争の状況（作り話）をどのようにハザールマフィアたちの都合のいいように世界に発信していくか、という情報戦に終わっている。

ワグネルの反乱については、ハザールマフィアたちのシナリオ通りの情報を発信するとともに、実際に反乱を起こさせようとした事実もある。

というのも、この事件が起こる直前、米国防総省本庁（ペンタゴン）から、62億ドルの使途不明金がロシア・ウクライナ紛争関連資金として拠出されたという情報があった。これについて関係者に確かめると、これはプリゴジンへの賄賂であり、これだけの額があればプリゴジンは実際にも動く、と米国は踏んでいたようだった。ところが、プリゴジンは行動に出ることはなかった。

ロシアには「人と結婚する約束と、結婚は違う」ということわざがある。結婚すること（実際に行動すること）と、約束をすることはまったく違う、という意味だ。言い換えると、約束は簡単だが実行は簡単ではないことを表現している。プリゴジンは、これをそのまま体現して見せたのだ。まさしく結婚詐欺みたいなものだ。

実はプリゴジンは、西側からこのような依頼があったことをロシア政府に伝えている。ロシア政府は、では1日だけの芝居をやろう、とプリゴジンに伝えた。その結果があれだ。プリゴジンは独自の判断だけでなく、ロシア政府の考えも聞いているわけだから、西側は、彼らに手玉に取られていただけのような格好だ。加えて、大金を使って、失敗しただけなく、この動きで、西側のネットワークがすべて暴かれている。

ちなみに西側のネットワークでは、このときプリゴジンが、フェイクではあるが、表向きにはロシア政府を倒すと声明を出している。これに呼応して、ワグネルの中で、よしクーデターをやるぞ、と手を挙げた人間がいたのだが、彼らは西側の人間だったわけだ。

たとえて言えば、以前、アメリカの新聞の4コマ漫画で見たことがあるのだが、海事訓練のシーンで、ボスが、この訓練に自分は参加する必要はないと思うスタッフはここから退避せよ、と言うと、何人かが退避した。これを見ていたボスは、ああこんな楽な首切りはない、と喜ぶという内容だった。

自ら自分が必要じゃないというスタッフだから、文句も言えない形で解雇できる。これと同様に、ワグネルの中に、ずっと潜伏していた西側に通じる人たちが、あからさまになったということだ。

ちなみにこの1人に、ウクライナでのロシアの軍事作戦副司令官、セルゲイ・スロヴィキンという幹部がいた。ロシア軍人だが、ワグネルのＶＩＰ（very important person）の名前にも入っていた。彼にも、西側から、クーデターを起こせば、あなたはワグネルの資金などより自由になる資金を大量に獲得でき、新しいオリガルヒになれる、などと誘われたはずだ。

権力者になれることをちらつかせながら、西側の言うことを聞かないか、といった誘いを受けている人たちがあぶりだされたわけだ。彼らはいずれ、反逆者として死刑も含めて、それなりの法の裁きを受けるだろう。ちなみにスロヴィキンはすでに行方不明になっている。

◆プリゴジンを殺したのはハザールマフィア

さて、プリゴジンだが、彼はほぼ自由にヘリコプターを使ってロシアに出入りしていて、私がＦＳＢの人間に取材したときは、サンクトペテルブルクにいると言っていた。

ハザールマフィアたちの最終劇の際は、プリゴジンはベラルーシに再配置されており、キエフからは80キロも離れていたから、もともとクーデターなど起こしようがなかったのだ。

クーデターは起こしようもなかったのだが、それでもプリゴジンがクーデターには乗らないという独自の判断、またロシアに相談するという判断は、自分の身を守るためには十分正しかったと見るべきだろう。もし本当に反乱を起こしてしまえば、ロシアに即、殺害されたはずだ。実際、今回、ロシア側からは何の罰も受けてない。

一方のハザールマフィアたちの今回の行動を評すれば、彼らは思い込みが激しすぎて現実離れしている、と言うしかない。

ハザールマフィアたちは、賄賂工作でプリゴジンを動かすことができれば、ロシア軍も連鎖的に反乱を起こし、ロシア政府も倒れるというシナリオを描いていたと考えられるが、前述の通り、まずプリゴジン自身が動かなかった。さらにロシアの世論をまったく動かせていない。プリゴジンに多額の資金を渡すだけで事態は変わるわけがないのだ。得体の知れないプリゴジンの映像を見せられても、ワグネルは動かない。

ハザールマフィアがこの工作を仕掛ける前、ハザールマフィアとしてはプリゴジンの心理プロフィールを分析して、ロシアのショイグ国防大臣との関係がうまくいっていなかったといった状況は把握していたようだ。前線でも、ロシア・ウクライナ紛争を仕掛けた連中は、バフムトで連勝するプリゴジンを英雄扱いし、さんざんに持ち上げていた。ロシアの正規軍にはできないことをやってのけている、ロシアのリーダーはプリゴジンだなどと言っていたのだ。

そのためか、プリゴジンも賄賂を取得して、一度はワグネルのメンバーにも反乱を打診してみた、といった情報もある。だが所詮、プリゴジンがリアルに傭兵たちに声をかけたとしても、それは、例えば私が突然、東京のどこかの女子高校で女子生徒たちに向かって「皆さん、僕について来て」というぐらいに唐突なことなのだ。万が一、ワグネルが動いたとしても、ロシア国民と軍が動くところまでは到底あり得なかった。

プリゴジンはこのとき、ハザールマフィアたちに多少の格好を見せるためか、ウクライナのマリウポリに近いロシア南部の重要都市、ロストフまで7000の兵を連れて移動している。これに合わせて表の報道では、ロシア軍がワグネルを攻撃したとか、ワグネル側がロシアの軍用機を撃墜しただとか、プリゴジンはプーチンに冷遇されているからクーデターを起こしかねないなど、いろいろ出てきたが、すべて嘘。このとき、ワグネルには、一時の休暇を楽しんだことはあったとしても、戦闘などはまったくなかったのだ。

ロシア政府は、これら一連の偽情報が拡散されつつあったとき、ロシア国民がGoogleにアクセスできないように応急措置を施している。西側の人々が奇っ怪な情報に踊らされたのとは違い、ロシア国民がこのような情報に接することはほとんどなかった。

今回、ハザールマフィアたちがロシア・ウクライナ紛争で実行したことは、結果的に、ロシアに対してではなく、世界に向けての心理工作だったと言える。西側の人々が動揺しただけで、現地では戦争らしい戦争は起こっていないため、本当の工作と呼べるものでもなかったと言える。ＦＳＢに言わせれば、これは世界初の〝ＡＩ・ディープフェイクテロ〟とのことだ。

結局、ロシアは何も変わらなかった。

ワグネルの反乱（プリゴジンの乱）の真相は、反乱そのものは、ハザールマフィアによるディープフェイク映像。だが、その前にプリゴジンがハザールマフィアから62億ドルを受け取っていたことも分かっている。だが、プリゴジンはハザールマフィアの要請を蹴った。したがって、プリゴンジを殺したのはプーチンではなくて、ハザールマフィアだ。

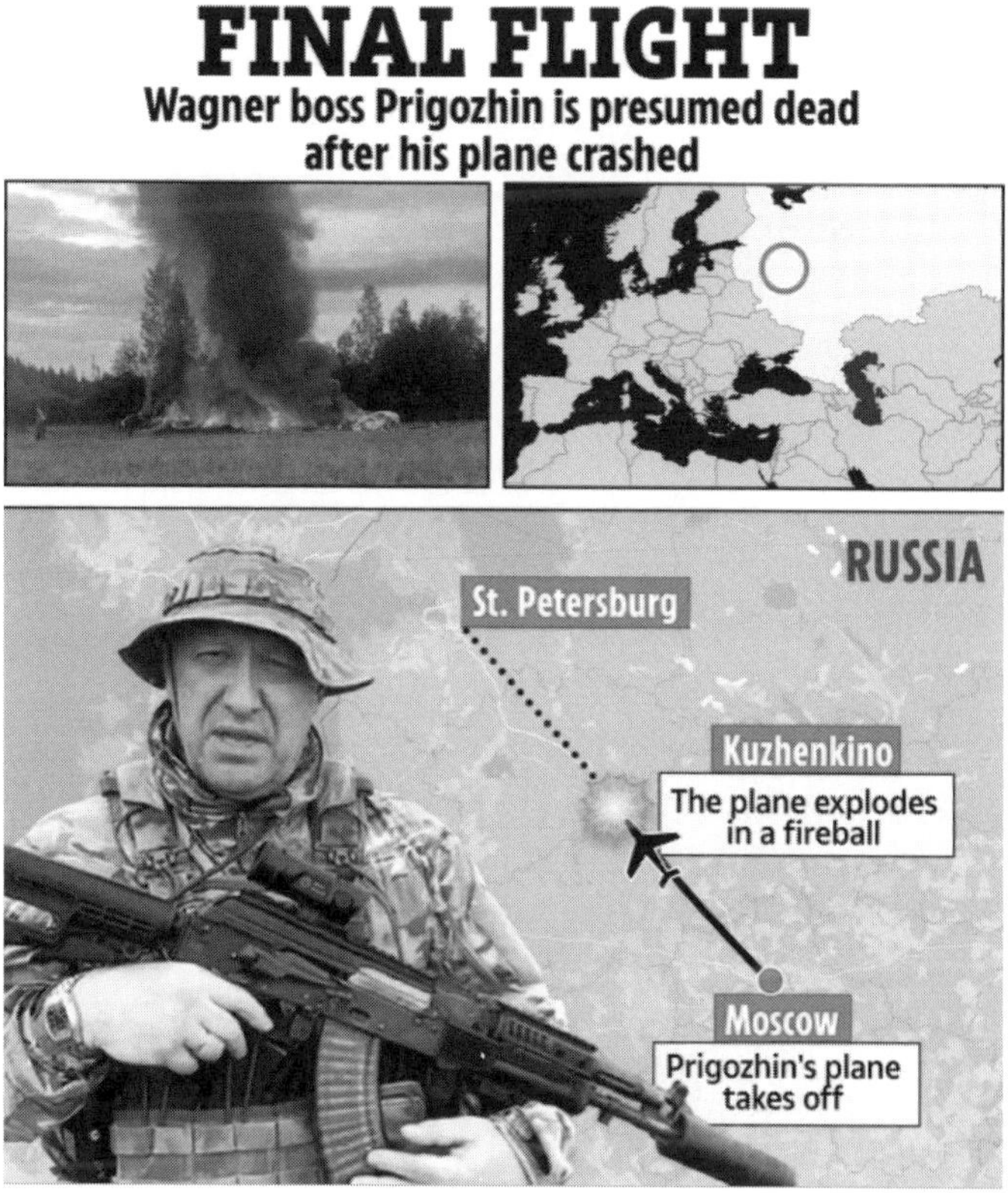
FINAL FLIGHT
Wagner boss Prigozhin is presumed dead after his plane crashed
RUSSIA
St. Petersburg
Kuzhenkino
The plane explodes in a fireball
Moscow
Prigozhin's plane takes off

ちなみに毎年、ロシアのサンクトペテルブルクで開かれている、経済会議、サンクトペテルブルク国際経済フォーラムには、世界のビジネスリーダーや政治家が参加するが、今年6月に開かれた会議にも、130カ国が参加し、25の国々から大手企業150社の参加があった。西側諸国は、ロシアを孤立させるべきなどと言っているが、ロシアが孤立しているという実態はない。

ところで、アメフトの世界で使われる「ヘイル・メリー（Hail Mary）」という言葉をご存じだろうか。

これは、もうこのゲームには負けそうだが、最後の一か八かの攻撃として無理にボールを高く、遠く投げるときに願いを込めて発せられる言葉だ。ハザールマフィアたちも、ロシア・ウクライナ紛争で第3次世界大戦につなげる（後述する）どころか、稚拙な最終劇を試みて失敗した、と私には見えてならない。そして、これがきっかけになり、ついにロシア・ウクライナ紛争が終結するフェーズに入ったと考えられる。

2023年9月、結局、プリゴジンは殺されてしまったのだが、先ほども少し触れたが、プリゴジンもゼレンスキーとつながっていた節がある。

筆者は、直接ロシア側に話を聞いているが、彼らもそう見ている。だからこそ、ハザールマフィアたちは60億ドルを渡せばどうにかなると考えたわけだが、そうはならなかった。プリゴジンは、ロシアに処分されることはなかったが、ハザールマフィアたちにとってはこの最後の逆転劇の失敗をしたのだから、その腹いせに彼らに殺された、と考えてよい。

この事件に関しても、事件後、いろいろな情報が錯綜《さくそう》した。まず、ロシア政府が実際に死んだと断定している。ロシアの国営通信は、プリゴジンは本当に死んだ、これから警察が精査すると伝えた。逆に西側では、プリゴジンは死んでない。死んだように見せかけて引退した、などと言っていた。

こういった事件が起こった場合、最初に出た情報が正しいことが多い。今回、この事件に関して真っ先に内情を語ったのが、以前、トランプのロシア疑惑を捏造《ねつぞう》したとされるクリストファー・スティールという男だった。クリントンやロックフェラー側で暗躍していた人物だ。

彼は、プリゴジンが死んだ直後にイギリスの新聞に対して、飛行機の中に積まれていたワインの箱に爆弾が入っており、これが爆発したという発言をしている。とっさに出た発言としてリアルと言うべきか、彼自身も一枚噛《か》んでいなければ、発言しにくい内容だ。これが真実なのだろう。

西側が、まだ生きているなどと言うのは、自分たちがやったことを隠そうとする、あるいは自分たちの仕業だと分かれば、ワグネルに仕返しされかねないとでも考えている言い訳にしか聞こえない。

その後、ワグネルはロシア正規軍に編入されている。本来なら、ワグネルはアフリカやシリアなどで、ロシアの代わりに海外で活動する民間会社だから、ロシア国内での仕事はない。ロシア・ウクライナ紛争では、すでにロシア側の占領は終結しており、実質的にロシア領になっている。このロシア軍への編入は、リーダーも消されたことだし、当面はワグネルの出番はない、という判断だったと見ていい。

ちなみに、アフリカのマリで金鉱山を守るといった、ワグネルが請け負っていた海外での仕事は続けられている。

◆ウクライナ紛争の裏で行われている本当のこと

では、ロシア・ウクライナ紛争は世界を動揺させる心理工作だけのものだったか、と言えば〝裏〟ではそうではない。現地では紛争あるいは戦争と言うよりも、どす黒いビジネスが展開されていたのだ。

まず、バイデンだが、彼とその周辺の闇は深すぎる。

米国では毎年4万人の子供が行方不明になる。子供の家出は40万人に上るが、ほとんどは2、3日で帰ってくる。ところが4万人が永遠に帰ってこない。1割が返ってこないわけだが、それは例えば、行方不明者が多いと言われる韓国の20倍ぐらいに当たると言われている。この永遠に帰ってこない子供たちが、人身売買の犠牲になっている子供たちなのだ。

現代における子供買いは、脳と脊髄の結合部分辺りにある松果体《しょうかたい》という器官で、子供でしか分泌されないアドレノクロームを採取するために行われる。アドレノクロームとは、簡単に説明するとアドレナリンの強い作用を起こすような物質で、これを服用すると非常にハイになったり、若返ったりすると言われているものなのだ。

アドレノクロームを生じさせるためには、子供を拷問にかけ、究極の恐怖を与える必要がある。著者はジャーナリストなので、実際にどのように拷問をかけるのか、撮影された動画が送られてきたのだが、あまりにむごすぎて最後まで見られなかった。

この動画というのが、米国にアンソニー・ウィーナー（Anthony Weiner）という議員がいるのだが、彼が自分の性器の写真を誰かに送ったというので、彼のパソコンがニューヨーク州の警察に押収された。このパソコンの中にこの動画はあった。

ウィーナーの妻はフーマ・アベディン（Huma Abedin）という、長くヒラリー・クリントンの鞄持ちをしていた人だったのだが、彼女と、なんとクリントンが女の子を拷問している動画だったのだ。女の子は顔の皮を剝《は》がされ、拷問をする女たちはこの剝いだ顔の皮をかぶり、まだ生きている女の子をいたぶる。最後はペンチで鼻を引きちぎる。

この後、松果体を引き抜くのだろうが、あまりに恐ろしくむごいため、著者もこれ以上はこの動画を見ることはできなかったのは読者諸氏にも理解していただけると思う。

ちなみに彼女らが、自分たちの行動を正当化するために、子供たちは悪魔への生贄《いけにえ》、捧げ物だったのだという発想がある。悪魔崇拝である。なお、この動画を検分した警察は12人いたのだが、このうちに9人はすでに死亡し、残りの3人は今も隠れているという。

第3章でバイデンはオバマの影武者の可能性もあると述べたが、バイデンやオバマ、クリントンは同じ穴の狢《むじな》で、政治もビジネスも、どうやって生活を楽しむかなど皆、同じようなスタイルを持っている。

子供を買って松果体を取るという話は、実はこれまでにも何度も話題になっている。例えば、カリブ海にあるエプスタイン島だが、この島は児童性愛の島などと報道されたことがあるが、実はセレブたちが、子供たちから採取するアドレノクロームを摂取し、楽しんでいた場所だった。

ほかに、フランスの生放送の人気テレビ番組で、突然放送が止められたことがあったのだが、これはアドレノクロームの話題が出てきたために起こった。予定では、あるジャーナリストがお笑い芸能人の同性愛スキャンダルについての話をするはずだったのだが、彼はいきなり、「エリートたちが皆、アドレノクロームを使っている。例えばカナダの歌手、セーリヌ・ディオンが老けたのは、その使いすぎだ」などと話し、「エマニュエル・マクロン大統領とその夫人……」と言いかけたときに放送が止まった。

セレブの間では、慢性的にアドレノクロームが不足していて、ウクライナのような臓器売買、人身売買が容易な場所が出てくれば自然とそこが大きなビジネスの地となる。

こうした情報は、欧米ではもう一般化しつつあり、そのためもあって、バイデンもマクロンも、カナダの首相ジャスティン・トルドーにしても、彼らは今や、人々に酷く嫌われているため、人前に出れば攻撃される、という時代になっているのだ。

米国民の間でも、こうした悪事が認知されるようになったこともあって、子供の人身売買のドキュメント映画、『サウンド・オブ・フリーダム』を米国の独立記念日7月4日に封切りするという動きがあった。実はこれは、2022年の7月末に公開されるものだった。

このときは理由が告げられることもなく公開はなかったのだが、ついに2023年7月、封切りされた。そして今、米国で大人気映画となっている。内容は、ハザールマフィアたちが展開する悲惨な問題に対して、愛国者たちがどう立ち向かい、解決していくかというストーリーになっている。

この映画についても、日本では大きく報じられることはないが、この映画が封切りされたこと自体が、まさにハザールマフィアたちの弱体化であり、ここまで来れば、もう米国民は黙っていないだろう。

◆武器売買の真実

そしてウクライナのゼレンスキー大統領も、自国民の殺害と、臓器売買ビジネスに加担していたというわけだ。プーチンが、ゼレンスキーのことをしきりにナチスだと指摘していたが、この話がこれとつながる。

ゼレンスキーは、ウクライナ男性を徴兵し、ろくに訓練もしないままワグネルとの戦いの前線に送り込む。すると彼らは4時間以内にはワグネルに標的にされ殺される。戦地の最前線では、75%が砲撃で殺害される。20%はバズーカのような中距離砲で殺される。兵士同士の至近での銃撃戦で死ぬ者は5%しかいない。これは第2次世界大戦の統計で明らかになっている。

表の報道にはまったく出てこないが、この戦いの犠牲者は、ウクライナ人がロシア人の10倍に上っている。ロシアの大量の砲撃で全滅させられているのだ。

米国からのハイテク兵器、1基6000万円もするジャベリンがあるといっても、確かにピンポイントで遠方の戦車を撃破することができるが、とにかく数が足らない。一方、ロシアの1発2000円の砲弾はいくらでも飛んでくる。ロシアから500発が撃ち込まれれば、ウクライナからは5発しか撃ち返せないという状況なのだ。これでは戦争にならない。負け戦《いくさ》だから、米国の軍産複合体にとってみても、武器の宣伝にもならないわけだ。

このような戦況は異常だ。まともな国の指導者なら、多くのワグネルの戦闘員がいて勝ち目はないといった前線に、自国民の兵士を送るわけがない。ところが、ゼレンスキーはこれを実行してきた。加えて、前線の情報をプリゴジン側から得ているというのだから、国家反逆罪もいいところだ。

ゼレンスキーがワグネルのプリゴジンと通じていたという話は、ワシントン・ポストがすっぱ抜いている。ワシントン・ポストがゼレンスキーとプリゴジンがやり取りをしている証拠をつかんで、それをゼレンスキーに見せるとゼレンスキーは激怒し、この情報はどこから手に入れたのだと、かなりパニックになったという事実がある。

このように、紛争の前線はあまりに酷い状況なので、さすがにロシア側も、プリゴジンにウクライナ人虐殺はやめろと命令を出したぐらいなのだ。

所詮、ワグネルは金で動く傭兵部隊のため、アフリカで稼いだりしているが、目の前に敵がいれば容赦なく殺害する。ウクライナが大量の戦車を導入して、部隊の強化を図ったなどと言っていた時期もあったが、ワグネルには刃が立たなかった。この戦争で少なくともウクライナ兵35万人が死んでいる。そこでロシア側は、ロシア軍の中にワグネルを組み込むようになった。これであれば多少は統制が利く。

このロシア・ウクライナ紛争が戦争になっていないことは、航空機が使われていないことからも分かる。

ゼレンスキーは西側諸国に対して、航空機の提供をしきりに求めるパフォーマンスを繰り広げていたが、このパフォーマンスに合わせて、西側が航空機を提供するとしても、それが可能なのは結局古い機種のため、これを得たとしてもパフォーマンスにもならないし、結果はウクライナ兵士が虐殺されるという同じ結果に終わるだけになる。

第1、米国のバイデンが自国の軍、米軍を統制できていない。彼はエアフォースワンにも乗れない。海外へ出向く際、民間航空機を使っている。核兵器の使用権も取り上げられている。つまりロシア・ウクライナ紛争に米軍は一切関わっていないのだ。

そのような状況もあって、ハザールマフィアたちは、ＡＩによる創作動画で世界にドラマを配信しているのだから、紛争の実際の最前線はどうでもいいのだろうが、彼らも多少は兵器などを送り込んでいる。

ただ、彼らが集められるのは旧式の武器である。航空機もそうだが、最新鋭の武器は誰も渡そうとしないのだろう。旧式の武器は、電源が合わない、火薬は使用期限切れ、長く使われた形跡がなく武器の本体にはさびが入っているなど、すぐに前線で使えるものは少ない。

使う武器がないことには、日本も巻き込まれている。米国も、ウクライナでマネーロンダリングする資金はともかく、実際にウクライナを支援する資金がないため、では弾薬を提供するという中で、それを日本から調達できないかなどと言っている。

第2次世界大戦後、日本を武器そのものを輸出できない国柄《くにがら》にしたのは米国だが、あまりにも虫のいい話である。日本の政界もこれを真に受けて、英国とイタリアと共同開発する武器のプロジェクトにかこつけて、第3国への輸出も可能とする見解を与党が出している。

武器が使えないとなると、結局それらの武器はウクライナの前線から外部へ流れ、商売の道具になる。ウクライナに西側諸国から送られた武器は、なんと4分の3が他国などに転売されているとのこと。

こんな話がある――。

5キロ先の標的を一撃で仕留めるというカナダのスナイパーが、ボランティアでロシア兵と戦うべくウクライナに行った。長距離の標的を仕留めるには、ただまっすぐ狙えばいいというわけではなく、風向や風速、湿度や気圧など相当な計算を要する技術が必要だと言われる。これを可能にする凄腕の彼は、世界一のスナイパーとも呼ばれている人物なのだが、いざ現地に着いてみると、肝心の銃を提供されなかったとのこと。

では、どうすればいいのかと現地で聞くと、あの〝理容店〟に行けばカラシニコフがあるかもしれない、などと言われたという。彼は、これは異常な状況だと実感し、カナダに帰ってきた後に、地元新聞の記者にそのときの一部始終を語った。この、ロシア・ウクライナ紛争の異常さについては、その地元新聞で取り上げられた後、全国紙でも取り上げられ、一時大きな話題になったのだが、今は伏せられている。

これはロシア側からの情報だが、ウクライナに持ち込まれた中古の武器は、まず欧州やウクライナ、ロシアのなんと、シナゴーグ（ユダヤ教の礼拝堂）に大量に持ち込まれているという。なぜ、シナゴーグに持ち込まれたのかと問えば、ここが卸売市場《おろしうり》になっているためのようだ。6000万円はする、歩兵が使える米国の対戦車ミサイル・ジャベリンを2000万円で売っていたりするそうだ。ここに、麻薬カルテルの関係者や、アフリカの国々の軍の関係者などが集まり、その武器を買っていく。

面白いのが、たまたまメキシコのテレビで放映されていたのだが、メキシコの麻薬マフィアが、このウクライナに持ち込まれたはずのジャベリンを持っていた。

先ほど旧式武器が商売の道具になるとは述べたが、もう少し嚙《か》み砕いて説明すれば、ロシア・ウクライナ紛争でウクライナ経済も疲弊しつつあるため、ウクライナの暴力団まがいの人間が、これまでのように自由に行動できなくなっている。例えば、彼らが街の商店で、商品を巻き上げるようなことができない。こうなると彼らは、自分の生活を維持するためにウクライナに持ち込まれた武器をどこかに持ち込んで、これを売却するという具合。ウクライナはこういう状況だ。

ちなみに、ウクライナではフェンタニールというヘロインより強力なアヘン系の覚醒剤が大量に作られているのだが、ウクライナのチンピラたちはこれも商売に使っている。フェンタニールが世界に流通するため、米国では、これの過剰摂取で年間約8万人が命を落としている。

話を戻すが、徴兵されているウクライナ兵は結局、正規の軍の装備を準備してもらえず、加えてハザールマフィアたちが適当に集めた、使えるかどうかも怪しい旧式の武器を持たされ、虐殺現場へと足を運ばされる——。

第1章で触れたが、もはや中国にたかるしかないほどに資金調達力も弱まっている中、ウクライナ支援のための資金も、一旦はウクライナ中央銀行に送られるが、結局はＦＴ

Xを経由して、ハザールマフィアたち自身のための工作資金として使われる。

これも表の報道にはないが、ゼレンスキーが自国民を虐殺しているという事実は、ウクライナ側も認めざるを得ない状況になり、ウクライナの検察がゼレンスキーを売国奴として起訴をした、という情報もある。ロシア人嫌いなウクライナ愛国者でも、理解できない何かが起こっていると感じ始めていたのだ。

このため、これはもともと言われていたことだが、ゼレンスキーは長い間、ウクライナにはいない。とはいえ、西側の要人が次々にリーダーの座を追われていることについては前述したが、ゼレンスキーもロシア・ウクライナ紛争が終るやいなや逮捕されるだろう。

念のため言及しておくが、第3章で述べたように、今や大方の国の指導者は役者にしろ、AIで創作した映像にしろ、アバターである。このため、どこで何を喋ろうと、それがどこの報道機関から発信されようと、その場面は創作されたものであり、我々が表で目にする、前線でウクライナ兵士を激励しているようなゼレンスキーが本人である可能性は著しく低い。

◆ウクライナ兵を死なせ、臓器売買ビジネスに手を貸しているゼレンスキー

ウクライナにはおらず、兵士を激励するはずもないゼレンスキーが、自国民の臓器売買ビジネスにつながっていることの状況証拠として、ウクライナ政府は誰の承諾を得ることもなくウクライナ人の臓器を採取してよい、という法律が2021年12月に制定されたことがある。実際に、ウクライナ政府が刑務所や病院の患者から採取される臓器を売買しているという証拠が出ている。ロシア・ウクライナ紛争での犠牲者をその対象にできるとなれば、これほど臓器の仕入れ先として好都合なものはない。

自国民の臓器を無断で採取できる法律の制定については、著者も以前、ポーランド当局の情報として英語版のメルマガで発信したのだが、同じ時期にロシアの国営通信社、タス通信も同様の報道をしていた。確かな情報である。そこまでして、いわば臓器売買の事業環境を整えている背景として言えることは、ウクライナにも、臓器売買の悪質な担い手が存在し、そのようなビジネスが盛んだということだ。

そして、男たちの臓器を摘出し、ニーズのあるところに商品として売り渡すという行為の裏には、女性、そして先ほど述べた子供の人身売買ビジネスがある。どちらかと言えば、男の臓器売買より、女性の性奴隷、そして子供からアドレノクロームを摘出するための人身売買のほうが大きなビジネスになっている。

現代はアドレノクロームの摘出が人身売買の主たるビジネスだが、歴史的にも、第2章でハザール人の生業が奴隷商人だったことに触れたように、欧州や中東では人身売買は特殊なことではなく、メジャーなビジネスの1つだったと言っても過言ではない。

その発想や行為は脈々と受け継がれていて、現代でも、多いと年間400万人に上る人々が犠牲になっていると表の情報にも記されている。近年では、旧ユーゴスラヴィアのコソボ、リビア、シリアで行われていた人身売買は大きく報道された。

そして、昔からの人身売買商人の常套《じょうとう》手段が、まず男を抹殺してから女子供を狩るという手口だ。ゼレンスキーが今、ロシア・ウクライナ紛争で行っていることは、まさにこれである。18歳から60歳の多くのウクライナ男性が徴兵され、プリゴジンの手を借りて亡き者にする。その後は、臓器の取り放題だ。あるいは負傷して復帰が簡単ではない場合、治療するのではなく、臓器を摘出する。そして国に残された女性や子供を連れ去る。

そして誰もいなくなったウクライナの農地は、ハザールマフィアたちによって自分たちの配下にあるブラックロックや穀物メジャー・カーギルなどに転売される。

ちなみに、ロシアが2023年7月、ウクライナの穀物輸出に関する合意から離脱すると発表している。この合意は、ロシア・ウクライナ紛争でウクライナ産穀物の輸出を安定的に再開させることでアフリカなどの低所得国を支援する、食料価格の高騰を防ぐというものだった。ところが実際には、ウクライナの穀物はカーギルなどよって、その大部分は彼らのビジネスとして欧州に輸出されていた。この実態を見たロシアは合意に意味はないと、離脱することを決めたのだ。西側のメディアが報道していることは、これほどまで真実からほど遠い。

◆紛争以前に、ロシア系住民がウクライナで2万人以上も殺されていたことを、西側メディアはまったく伝えない

言及が最後になって恐縮だが、今回のロシア・ウクライナ紛争の根底には何があるかと言えば、第2章でも触れたハザールマフィアたちの故郷、まさにこの地域一帯だが、ハザール王国、この国を復活させるという意図が込められていた。たとえて言えば、この現代社会であり得るはずもないことだが、日本の極右勢力が、かつての満州帝国を復活させようと中国の東北部で騒ぎを起こしているといったイメージだ。

ウクライナとロシアには、ミンスク協定がある。これは、2014年9月にウクライナとロシア、ドネツク人民共和国、ルガンスク人民共和国で調印された、ウクライナ東部ドンバス地域で紛争はしないという合意だ。

遡《さかのぼ》って18世紀、ドイツ（プロイセン王国）のフリードリヒ大王とロシアのエカチェリーナ2世が、ドニエプル川をロシアと欧州の境と決めている。

ドニエプル川は、ロシアの西端のスモレンスク州に源流があり、ベラルーシの西側を

通り、ウクライナをほぼ真ん中から東西に分けるように黒海に注ぐ。河口は、ロシアが実効支配しているクリミア半島の北西側、ヘルソンにある。ドニエプル川の東側はロシア民族の土地。ロシア語を喋れて、自分たちはロシア人と自覚する人々が住む場所だが、その西側はそうではない、西側には、欧州の諸民族が住む、という歴史的な認識がある。

この大前提の下《もと》で、ドニエプル川よりももっと東側に線を引いて、ドネツクやマリウポリ辺り（ドンバス地域）はロシア系が住む地域としてお互いが認め、戦闘行為はやめるという協定がミンスク協定だ。戦闘の停止のみならず、停戦監視団を置くこと、ウクライナ憲法を改正すること、ドンバス地方の自治権の拡大などもうたわれている。2015年2月にはミンスクⅡとして改定もされている。

今回、ロシアがなぜ動いたかと言えば、このミンスク協定が結ばれているにもかかわらず、ハザールマフィアたちに煽られたウクライナは、その後もロシア系の住民を殺害し続けて、その数は2万人にも上っていたためだ。

さらにハザールマフィアたちは、ロシア南部を飛び越えて、2022年1月にカザフスタンに2万人の傭兵を送り込み、イエロー革命を起こそうとまでしていた。

イエロー革命とは、外部勢力による既存政府の転覆テロである。

一般的にカラー革命は共産圏での民主化革命とされるが、実体はハザールマフィアたちによる既存勢力の追い出しである。このため、まずハザールマフィアたちに対してカザフスタン政府の堪忍袋の緒《お》が切れた。ハザールマフィアたちの横暴は許せないと。カザフスタン政府はロシア軍の出撃を要請し、これの鎮圧に成功した。

そして翌月の2月、ロシアはウクライナに侵攻する。

カザフスタンのイエロー革命とロシア・ウクライナ紛争は一見別物のように見えたと思うが、一体化していると言っていい。ちなみにカザフスタンも、ハザール王国の領土の一部だった。

ロシアやカザフスタンにとって、２０２２年のイエロー革命は事なきを得たが、ハザールマフィアたちのカザフから南ロシア、ウクライナにかけての行動があまりに騒々しいので、もうハザールマフィアたちをこのまま野放しにはしておけないと、ロシアがウクライナに侵攻したわけだ。

ロシアは、ミンスク協定を遵守《じゅんしゅ》していた。ところがウクライナはそれを守らない。

そのためにウクライナでロシア系の人々が殺害されている。

　ロシア側としては、彼ら、ウクライナのロシア系住民を守りたいのはやまやまだが、他国の住民を管理することは容易ではない。他国の住民に寄り添えば、どうしても不満は出てくるし、トラブルにも発展しかねない。コストもかかる。そのためにミンスク協定を締結し、これを遵守することでウクライナのロシア系住民を守っていたのだ。軍事介入することなどは想定になかった。

　日本の大手マスコミが言っているような、ロシアは現代にあっても武力によって国境など現状の書き換えをしようとしているといった話は嘘八百というわけだ。

　逆に、この節の冒頭で触れた、ドニエプル川の西側の国境線を取り除いてハザール王国の再建を目指すという、ハザールマフィアたちの身勝手な活動は止まっていない。

　ウクライナの西隣、ポーランドでは今、ウクライナの国旗の掲示が止められている。もはやウクライナという国は存在しない、との認識が広がりつつあるような状況が推し進められているのだ。ウクライナから、ポーランド、ラトビア、エストニア、さらにオランダを加えて、1つの国にしようという動きだ。16世紀から17世紀に隆盛を誇ったポーランド・リトアニア共和国の再来をうたっている。

このように、ロシア・ウクライナ紛争の本質は、ウクライナ対ロシアの争いとは言えないのだ。民間マフィア＝ハザールマフィア対ロシアといったほうが正しい。

◆ハザールマフィアはゼレンスキーを使って第3次世界大戦を起こす計画だった

ではゼレンスキーとは何者なのだと問われれば、ロシア・ウクライナ紛争が始まった当初はいろいろな情報があったものの、断言できるのは彼を直接操る者はチャバード（Chabad）という、ユダヤ人至上主義の宣教カルト集団であるということ。彼らもハザールマフィアたちと重なる。

身近には2023年9月にウクライナ当局によってマネーロンダリングの疑いで起訴されたハザールマフィア、イーホル・コロモイスキーがいる。

彼はウクライナ有数のオリガルヒ（ソビエト連邦崩壊後の新興富豪）で、銀行や石油製品製造、メディアなどを傘下に持つ企業グループのリーダーであり、政治家でもある。この企業グループのテレビ局が放映していたのが、かつてテレビタレントだったゼレンスキーがウクライナ大統領役を演じたドラマ『国民の僕《しもべ》』だ。

今回のロシア・ウクライナ紛争には、ハザール王国復活の意図もある一方で、ハザールマフィアたちのもう一つの念願、第3次世界大戦を誘発し、世紀末を自分たちの手で演出するというシナリオもあった。実は、プリゴジンの反乱を仕掛けた続きに、そのストーリーがあった。ワーグナーオペラといえばほめ過ぎだが、理解しがたい、常識を逸脱したストーリーだ。

ちなみにジョージ・ソロスが、自らの最後の論文で、ロシアについて述べている。ロシアは、1991年にソ連が崩壊して、アルメニアやベラルーシ、バルト3国、カザフスタン、モルドバ、ウクライナ、ウズベキスタンなど、ロシアを含めて15カ国が独立して、新しい国になった。ロシア連邦共産党による中央集権的支配が解けて、世界がそれまでより、各国と自由に付き合えるようになった。

もともと世界の共産主義革命の火付け役もハザールマフィアたちが担ってきていたのだが、時がたって、中国にしてもロシアにしても、ハザールマフィアたちが簡単には御《ぎょ》せない強国となった。ソ連が崩壊し国が小分けになったことは、ハザールマフィアたちにとってみても、政治や経済に介入しやすくなったわけだ。

そこでソロスは、ロシア・ウクライナ紛争を拡大し、ロシアをもっと多くの国に分けることで、ハザールマフィアたちが、より自由に資源を獲得できるように状況を変えたい、という考えを打ち出していた。

今回のプリゴジンの反乱後のストーリーとしては、もしプリゴジンがロシアへの反逆を成功させた場合には、彼はその次にウクライナの北部に隣接するベラルーシに移動する。同時にルカシェンコ・ベラルーシ大統領が、家族が使っている航空機でトルコへ逃避する。ここまで準備が進んだら、ウクライナのベラルーシ国境にあるスピーカーから、ベラルーシの反政府勢力に向けて、ベラルーシ政府を倒せというサインを送る。これをきっかけに、反政府勢力が蜂起するというものだった。

その後、プリゴジンを中心にベラルーシ反政府勢力がベラルーシを乗っ取る。カザフスタン、ウクライナ、ロシア、ベラルーシと続くゴタゴタの中で、ハザールマフィアたちはプリゴジンをけしかけ、どこに向けてかは不明だが、ベラルーシにある核兵器を使わせる。ここまで来れば、第3次世界大戦が勃発するというわけだ。そして世紀末までつなげるというシナリオだ。

しかし、このときまでにロシアにクーデターが起こることを想定しているとはいえ、ベラルーシにある核兵器はロシアが管理しているもので、プリゴジンがベラルーシの独裁者になったとしても独断で使えるものではない。狂信的と言うしかない。

話は少しややこしくなるが、別のシナリオ、これはハザールマフィアたちのシナリオというよりも、愛国派の動きと見ていいが、彼らは、同じ白人同士のロシアと組んで、中国を弱体化させたいという思いもある。ここでは、ロシアを抱え込む作戦が展開されている。ついては、ロシアに対して、西欧の主導権はロシアに任せる、と言っているのだ。

ハザールマフィアたちが、ロシア・ウクライナ紛争で、米国がさっさとこれに参戦し、ロシアを撤退させると言いつつも、まったく動く気配がないのはこのためなのだ。中古武器の供与でごまかしているわけだ。実際の米軍は、フランスやドイツをロシアから守るために戦おうなどとは少しも思っていない。ハザールマフィアたちのシナリオが狂信的なものであるだけに、真実を理解しているグループは、このようなシナリオを持っていることにも留意したい。

もし万が一、ロシアがしびれを切らして、本格的に欧州に軍事展開するような事態になれば、欧米はあまりにも準備不足だ。筆者がポーランド当局の人物と話をしていると、NATOそのものが1年も持たないのではないか、という話題さえ出てくる。このままではNATOそのものが存在しなくなるのではないか、という読みだ。

実際問題として、近い将来、ロシア・ウクライナ紛争でロシアが本格的に攻撃を仕掛けてきたら、NATOは数週間しか持たないと。これは、今ではネットから削除されてしまった情報だが、ドイツ軍幹部とフランス軍幹部が話し合っていた内容なのだ。

ドイツ軍幹部とフランス軍幹部の話の趣旨は、このような事態になり、NATOが抗《あらが》えば、ロシアは欧州全体を攻撃するところまで進む可能性があり、結局NATO軍は壊滅させられるという主張だ。ウクライナにはまともな武器弾薬がないという話をこれまで何度も触れてきたが、欧州全体を見渡しても、ロシアに対抗できる武器弾薬が圧倒的に不足しているのだ。

もはやどう転んでも、ロシア・ウクライナ紛争は、ハザールマフィアたちがこれを終結させるしかないところまで追いつめられている。前章末尾で、愛国者勢力がこの紛争をもう終わらせる手はずを整えたと言及したが、当事者たちはこのような状況にあるということだ。

第5章

ハザールマフィア、最後の悪あがき

——目覚めよ、日本！　新世界は目の前だ

◆カナダの山火事もマウイ島の山火事もハザールマフィアの最後の悪あがき

これまで述べてきたように、ハザールマフィアたちの崩壊は間近い。ところがそのような状況にありながらも、彼らは性懲りもなく、これからもさまざまな悪事キャンペーンを張っていく。起死回生を図ろうとでもいうのだろうか。

今後、ハザールマフィアたちは何を繰りだしてくるのか、明らかになっていることをいくつか紹介しておこう。そして最後に、彼らの夢は潰えて何もできなくなったとき、世界はどう変わっていくのか、崩壊した後はどうなるのかについても、まとめておきたい。

さて最近の出来事として、2023年8月にカナダで大規模な山火事と同月米ハワイ州マウイ島を襲った山火事は衝撃的だったのではないか。読者諸氏も感じておられたことと思うが、これまでに見たこともない異常な規模の山火事で、恐怖というよりも、その異常さに疑念を抱かれたのではないか。そう、これらもハザールマフィアたちが引き起こしている。

まず、カナダの山火事だが、この山火事が起こる前日に、カナダで軍事裁判が開かれている。

なぜ、普通の裁判ではなく、軍事裁判なのかと言えば、すでに本来の司法機関はハザールマフィアたちに買収されてしまっているからだ。これでは、タイミングよく闇を裁くことはできない。加えて、この軍事裁判の直後になぜかトルドーは、ウクライナに行った。予定されていた訪問ではない。ウクライナから招待されているわけでもない。逃げたと言わざるを得ない行動だ。

ではなぜ、軍が動いたのか。軍人は、選挙で選ばれる政治家、サラリーマンでしかない官僚とは異なり、志願して入隊し、特別の教育を受けて日々国民を守る訓練に勤《いそ》しんでいる。このため、政治家や官僚よりはずっと国民を守るという意識が高い。非常事態に際しては、国民を守るのは軍しかいないというのはどこの国にでもある程度共通の認識だ。

ＰＣＲ検査もろくな検査ではないのではないか、新型コロナワクチンが本当は国民を害するものなのではないか、という情報が入れば、まじめに真実を探る。そしてこれが本当だと明らかになった限り、軍は政界や官界にメスを入れる、という状況だったのだ。この裁判には、政治家や専門家も出席していたはずだ。

具体的な起訴内容は、新型コロナウイルスのＰＣＲ検査は詐欺（虚偽）だった、というものだ。米疾病管理予防センター（Centers for Disease Control and Prevention：ＣＤＣ）では、２０２１年7月には、新型コロナウイルスの検出をＰＣＲ検査で行うことを推奨しない、としていた。その後、世界保健機関（World Health Organization：ＷＨＯ）まで、ＰＣＲ検査は診断の補助でしかない、と念を押している。

ハザールマフィアたちとしては、すでにこの頃には、新型コロナ感染者は世界中に十分というほど広がっていたし、製品の販売で相当収入も得た。このまま詐欺まがいの製品・サービスを展開し続けていると、いずれ愛国派など、ハザールマフィアたちの活動を警戒する者たちによって、その行き過ぎが取り沙汰されかねないと警戒、危うきものはさっさと仕舞おうと考え、このときのＣＤＣの発表となっていたのだろう。ＣＤＣは

カナダの山火事のせいでニューヨークの空が赤く染まったのはアンモニア・ナイトレイトという薬品が使われたからだ。山火事の真相は、前日にカナダで行われた軍事裁判へのハザールマフィアの脅しなのだ

このときから、ＰＣＲ検査ではない他の検査法を推奨していた。

なお、ＰＣＲ検査については、まともな医療関係者からは、その正確性が以前から疑問視されていた。ウイルスの検出の是非を決めるサイクル数（Ct値）と呼ばれる値に、標準はなかったのだ。要は、陽性・陰性の境目をどう見るかは自由だった。ハザールマフィアたちの意向で、いくらでも陽性者を出すことができた。一方、日本では、２０２1年9月からドラッグストアなどでの一般購入も可能となったから、在庫は日本人に買っていただき処分する、ということになったのだろう。

ＰＣＲ検査は、そのような代物だったため、実際に軍事裁判が行われ、これらの証拠が提出された。判決は、起訴状通り詐欺と認められるはずだ。同時に、新型コロナウイルスビジネスの稼ぎ頭である新型コロナウイルスワクチンも危険、という証拠が提出されている。

この証拠がカナダ軍に提出されれば、有罪は確定、その後、軍が動くという手はずだった。このタイミングで、全国５００カ所で同時に山火事が発生した。

カナダで大火事が起こると、当局は、焚き火禁止はもちろん、庭の草刈り機も使用禁止、家事も当面控えてほしいなどと、異常なほどの山火事対策をした。

ところが、現場を撮影した動画には、放火して回っているヘリコプターを確認できたり、また、カナダ全土同時に500カ所も火災が発生するわけもなく、人工衛星からの電磁波で発火させたりしているという情報が出てきた。ハザールマフィアから頼まれたバイトなのかもしれないが、素手で放火した人もいて、さすがに彼らは逮捕されている。まさに人為的な山火事だったのだ。

一方で、本物の火事ではなく、空を赤く染めるパフォーマンスだけが繰り広げられた場所もあった。ニューヨークの北約500キロの場所にあるカナダのケベック・シティーに筆者の弟が住んでいるのだが、彼からの報告によると、ニューヨークの空は真っ赤に染まっているが、自分の居る場所は多少煙の臭いはするものの、火事は起こっていないとのことだった。証拠写真も見せてくれた。

カナダの火事が、米国民にも大変だと思わせる演出がされていたのだ。このとき、燃やすと赤く光るアンモニア・ナイトレイト（ammonia nitrate）という薬品が大量に行方不明になったとのことだから、これが使われたのだろう。

この山火事は、カナダの軍事裁判で新型コロナウイルスビジネスが糾弾されたため、これをごまかすために実施された脅しであったのだが、これが、ハザールマフィアたちが展開する悪事キャンペーンの伏線になるように実施されているのも手が込んでいると言うべきか、いい加減にしてもらいたいところだ。

◆コロナ詐欺、気候変動キャンペーン、山火事、すべては裏でつながっている

この山火事は、ハザールマフィアたちの温暖化対策推進キャンペーンに沿っている。というのも、彼らによれば、地球の脱炭素社会が進まないため、温暖化はますます激しくなっており、これがカナダの山火事につながった、という触れ込みだ。

脱炭素社会推進は、ひと言で言えば、なんと温暖化ガス（メインは気体のＣＯ２）排出量という空気の一部に値段をつけ取引するという空想ビジネス。化石由来の石油や天然ガスの利権を抑え、原子力発電所建設推進派を後押しする悪事でもある。そしてこのキャンペーンは、これを広げていこう、という活動だ。後述するが、この山火事は、今後

の新しいキャンペーン、「気候変動の脅威に備えよ」キャンペーンにもつながる。

1つの悪事を、自分たちのキャンペーンにつなげるのも手が込んでいるが、さらに小銭稼ぎも展開している。これだけの山火事が発生すると、人手不足だ、資金が足りない、金をくれと、ありとあらゆる資金供与を国際社会に訴えている。すると、定年はしているがベテランの元消防士を派遣するという申し出があった。中でも山火事に精通している人たちだったらしい。ところが、当局からはこの申し出を拒否される。

今回のカナダの山火事は、人手不足だなどと言いながら、欲しいのは資金だけ、資金が集まればマネーロンダリングに使う、火事を消す気もない、世界中に気候変動は恐ろしいものという印象を植えつけられ、カナダの軍事裁判がうやむやになればそれで成功という、あまりに身勝手な行動だった。

このカナダの山火事が、最終的にどうなったかと言われれば、1つ興味深い情報がある。真偽は不明だが、かつて最も栄えた北米原住民のアルゴンキン族が、雨乞いのための祈りの踊りを3日間舞うと大雨が降り出し、山火事は収まったという。その踊りは、何人もの踊り手が同時にあるパターンの足踏みをすることによって、そこから発せられる音波なりを発信し、雨につなげることができるのだとか。アルゴンキン族にとってみれば、それなりに科学に基づいたものであるとのことだ。

◆なぜハワイのマウイ島が狙われたのか。しかもそれは電磁波攻撃だった

次にハワイで起こった大火事について真実を述べておこう。

カナダの大火事でも指摘されたことだが、特にハワイの大火事の出火原因の多くは電磁波だった。巷《ちまた》には、多くの証拠が提示されている。

青い屋根、青い車など、なぜか青いものだけが、周りが燃えていても被害を免れた。これこそ特定の波長のものだけに攻撃を特化できる電磁波攻撃が行われたことの証拠となる。

しかも、集中的に攻撃された場所は、特にハワイ原住民が多く住んでいる場所だった。そこには、彼らの土地を地上げし、街を一掃するという目的もあったようなのだが、ハワイの大火事の主たる目的は、もともとハワイ州に根づいていた独立精神を消し去るこ

2023年8月にハワイのマウイ島で起きた山火事は電磁波攻撃だったと思われる。破壊された建物の間に不自然に残る家屋、特に青い物体が破壊を免れていた

とだったようだ。ハザールマフィアたちは、原住民居住地区を焼き払えば、その効果は高いと踏んで実行した。

ではなぜ、このタイミングなのか――。

米国（ハザールマフィア）が倒産するかしないかという状況にあり、世界各国と資金提供の交渉をするも決裂する中、米国政府の力が弱まり資金もないという機に乗じて、ハワイが独立するかもしれない、というわずかな可能性を摘んだ、ということなのだ。

当然のことだが、ハワイは元々ハワイ王国であり、米国ではなかった。米国が太平洋に進出していく中で、ハワイ王国の中に、米国からやってきた移住者、ハワイアン・パイナップル社（後のドール・フード・カンパニー〈Dole Food Company, Inc.〉）のパイナップル畑が広がり、ハワイの主要産業となった。そのうち彼らは傭兵で軍備を整える。

その後、ハワイアン・パイナップル社の強権の下、ついに王権が廃止され、共和国になってしまった。この頃、ハワイ王家は日本政府に苦境を訴え、助けを請い、日本政府は艦隊を派遣する。だが、日本も米国側への気遣いも無視できず、またかつて日本も琉球王国を併合したということもあり、日本政府は日本人のハワイでの権益を確認するにとどまり、結局ハワイは米国に併合される。

米国の他の州は、それぞれの州の国民投票で、アメリカ合衆国に参加することの是非を問うてから合衆国の一部になっている。ところがハワイは違ったわけだ。このような経緯があり、ハワイでの独立志向は根強く残っていた。もし米国内で独立運動があるとすれば、ハワイだったわけだ。無情にもこれを抹殺した。

火事が猛威を振るう前、地元の警察は、地域から人を移動させないようにしていた。火事のあった日にだけ、なぜか子供たちの学校を休校にして、自宅にいるようにしていた。その後、火事は前代未聞の大火事となり、街と原住民たちを焼き払った。ハザールマフィアたちはそこまで徹底した。

この状況下、米国にとってハワイの独立など、大したことはないではないか、なぜここまで酷い悪事をするのか、と思われる読者もおられるかもしれない。

ハワイもポリネシア系のアジアなのだ。アジア王族のネットワークが広がれば、アジア王族の力はもっと増すことも考えられる。実際、ハザールマフィアたちがアジア王族と資金提供の交渉をする際、アジア王族から、ハワイの独立を交換条件に出されていたことあったようだ。

◆ウクライナの策謀が失敗し、地球温暖化詐欺に乗り換えたハザールマフィア

火事を起こすという悪事は、ギリシアでも展開された。同じ8月だ。自然に発生する火事ではないから、一度起こるとやはり規模が大きい。ギリシアでは、人海戦術による火事が引き起こされたようだ。放火犯が60人も逮捕されている。

こうした火事騒ぎは、前にも少し触れたが、ハザールマフィアたちの新しい悪事キャンペーンの一環でもある、気候変動の脅威を煽ることにつながっている。気候変動の脅威は、これまで彼らが展開してきた温暖化阻止、脱炭素社会の推進に一見似ている。が、実際は大きく違う。

まず、地球温暖化ガスによる地球温暖化説だが、1900人にも上る科学者がさまざまに証拠を挙げて、正しくないと主張しているのだ。

だいたい現在の温暖化は、まずは、温暖期・寒冷期を繰り返す地球の大きなサイクル

の中でもたらされている、と考えるのが普通だ。例えば恐竜が闊歩していた時代、地球の気温は今より4度高かった。この時代は、現代よりも生き物の量が多かった。特に植物は、炭素が多いほうが栄えることは誰でも理解している。

温暖化説を唱えるハザールマフィアお抱えの科学者たちは、地球の気温が、ちっぽけな人間が燃やす化石燃料ごときに影響されている、と主張し続けている。そのように考えるのは、あまりに自分たちを買いかぶっているのではないか、という大きな疑問は、ずっと問いかけられてきたが明確な回答はない。

世界の国民は、真実に触れることによって、温暖化・脱炭素がまやかしだと気づいているのだが、欧米・先進国の大企業は、今もってハザールマフィアたちが決めた脱炭素ビジネスに乗っかり、やれ太陽光発電だ、バイオマス燃料発電だ、電気自動車の普及だ、森林の再生だなどと競争しているが、随所でほころびが見え始めている。

例えば太陽光発電は、ソーラーパネルを製造する際や廃棄の際の環境破壊のみならず、運転中にも電力が一定しないなど、数々のデメリットが挙げられている。

電気自動車に使われる蓄電池も、耐久性はもとより、多くの電力を保持できないといった致命的なデメリットが指摘されている。電気自動車そのものも、燃料を直接、動力に変換させる内燃機関と異なり、外でつくられた電気を使うこと自体、その効率性が疑われている。森林保護も、前代未聞の山火事を起こしておきながら、何が森林保護だ、という滑稽な話になっている。

もっと言えば、脱炭素を推進しようにも資金力がなく対応できない中堅・中小企業などでは、社長から従業員たちまで、こんなばかばかしいことに付き合っていられないと、かえって達観しているわけだが、欧米・先進国からは、程度の低い社会性のない企業として市場から弾《はじ》き出されている。

では、今回の気候変動の脅威キャンペーンと、前回の温暖化・脱炭素キャンペーンとどこがどう違うのか――。

ちなみに、気候変動の脅威キャンペーンは、ロシア・ウクライナ紛争がいよいよ終わるという中で出てきた。ちょうどプリゴジンの最終劇が終わった次の日から、ＩＭＦや西側諸国の軍など、気候変動のための軍事総動員のような話を盛り上げつつあった。ロシア・ウクライナ紛争の話は終わったから、次に行こうと、変わり身は早い。

温暖化・脱炭素の前回キャンペーンは、人間の活動による地球環境の変化を阻止しようという洗脳なのだが、今回は、身の程知らずもいいところだが、地球を敵と見なし、これと対抗しようという洗脳である。地球との戦いのため、安全保障という意味を持たせ、主人公は軍となるが、ビジネスにするためには、民間軍事会社への働きかけも大きくなるだろう。

今回の、気候変動の脅威が提唱されるに当たって、「気候変動に関する世界軍事諮問委員会」（Global Military Advisory Council on Climate Change：ＧＭＡＣＣＣ）と呼ばれる組織が発足している。この組織は、２００９年に設立はされていたのだが、温暖化・脱炭素のキャンペーンが怪しくなってきたので、ハザールマフィアたちが改めてクローズアップしているという格好だ。

◆共産革命もハザールマフィアが仕掛けた悪事

さて、古くは共産主義の台頭も、ハザールマフィアたちが仕掛けた悪事だった。筆者は、米ソの冷戦時代に生まれたから、共産主義がはびこっていては、世界が平和になるわけがないと考えていたものだ。共産圏のリーダー、ソビエト連邦にいかに対応すべきかが問題だ、と真剣に考えていた。

そうこうするうち、1991年、ついにソ連が崩壊、新生ロシアが誕生した。これで、世界は各国が親しくし平和になる、よかった、と喜んだものだった。

ところが実際は、国際社会はその後も安定しなかった。ハザールマフィアたちが悪事キャンペーンを常に繰り返していたからだ。

テロとの戦いでは、9・11のみならず、アルカイダにしてもアイシス（ISIS：イスラム国）にしても、ハザールマフィアたちが設立し、資金を提供し、軍事訓練も施して、それぞれの地域で暴れさせていた。アルカイダにしてもアイシスにしても、彼ら自身の信条を考慮すれば、より原理主義か否かなど参加者に若干の違いはあるが、結局、ハザールマフィアたちがつくった組織として、あまり違いはない。

　ちなみにアルカイダは１９８０年代後半、ソ連・アフガン戦争中に、ソ連軍への抵抗運動に参加していたウサマ・ビン・ラディンらが結成したとされているが、彼に資金を渡していたのはハザールマフィアたちである。結局彼も用済みとなって、ハザールマフィアたちに息の根を止められてしまった。

　滑稽なのは、その後のこの30年間、日本の大手マスコミも含めた世界の大手マスコミが、イランはあと数カ月で核兵器を持つから何とかしなければならないとずっと言ってきた。30年前から、ずっとあと数カ月と。イランは核兵器を保持し、第３次世界大戦を起こしかねない危険な国だと喧伝《けんでん》してきたのだが、前述のように、今やＢＲＩＣＳで、イランはサウジアラビアとも席を同じくしているのだ。

◆3・11を起こされた日本は早くハザールマフィアから逃れられればいいのだが、実際はそううまく行かない

とにかく、これまで西側を脅す組織はハザールマフィアたちがつくっていたわけだが、それが国際社会に広く知られることとなってしまった。テロとの闘いは沈静化し、新型コロナウイルス作戦も、ロシア・ウクライナ紛争も行き詰まった。

台湾有事も悪事キャンペーンの1つで、2027年までには現実のものとなるだろうなどと発言する、完全に洗脳されてしまっている日本の識者もいる。だが前述したように、ハザールマフィアたちの考えるような条件はまったく揃《そろ》わず、何事もなく平和裏に中台《ちゅうたい》は統合になる。

さて、新型コロナウイルス作戦中、日本においてはマイナンバーとワクチンのパッケージ化による、マイナンバーとワクチン接種の普及が仕組まれていた。新型コロナウイルスが世界に蔓延していたころ、ワクチン接種証明書が必要な海外出張や各種施設利用などのために、接種証明書をマイナンバーに書き込むといった行政事務を実施すること

で、それらの普及を促したのだ。

さらにマイナンバーには、ワクチンを接種した者（ハザールマフィアたちの言うことを聞くヒツジ）には、日本銀行が発行する暗号通貨でベーシックインカムを供与するといったシステム化が検討されていた。反対に、ハザールマフィア＝当局の言うことを聞かない者は、マイナンバーも持たないため、いずれ食事にありつけないという状況になるシステムを構築しつつあった。

ところが今回、ワクチン接種を拒む者が予想以上に多く、また日本銀行の暗号通貨発行のプロジェクトもあまり進展できなかった。ここにも新型コロナウイルス作戦が失敗した要因がある。新型コロナもダメ、温暖化阻止・脱炭素推進もウソがばれて、始まったのが気候変動の脅威キャンペーンだ、というわけだ。

ここで、日本に対しての悪事キャンペーンをもう1つ紹介しておくと、2011年3・11の東日本大震災でのことだ。これもハザールマフィアが仕掛けた人工テロ地震であったことは、ハザールマフィアが壊滅された後に明らかにされる。が、それだけでなく、日本国内にいると認識できなかったかもしれないが、当時、世界では、旧ソ連ウクライナ共和国のチェルノブイリ原発事故よりも酷いことが起こった、太平洋のすべての生物は死滅した、というストーリーを拡散していたのだ。

筆者も、米国にいる人たちから、あなたはまだ生きているのか?と不思議がられたものだ。筆者自身も当時、ヨドバシカメラで放射線測定器を購入して、東京の自宅周辺の放射線量を測定したが、大した数値ではなかったし、放射線で誰かが死んだという話は一切なかった。ハザールマフィアたちのストーリーでは、世紀末劇は日本から始まるとでも言いたかったのかもしれないが、それも彼らの思惑通りとはなっていない。

◆〝宇宙戦争〟キャンペーンがハザールマフィアの最後の奥の手だ

そして今、またもやハザールマフィアたちは次を仕掛けているのだ。彼らが展開するキャンペーンはどれも滑稽なものだが、次のキャンペーンは特に滑稽だ。それはリバイバル・キャンペーンなのだが、なんと〝宇宙戦争〟を仕掛けようというのだ。

遡《さかのぼ》って1930年代、『宇宙戦争』というH・G・ウェルズの小説をラジオドラマ化、これを放送していると、聞いていた米国民がパニックになったというウソのような本当の話がある。年配の読者は、聞いたことがあるかもしれない。このラジオドラマがあまりにもリアルで、リスナーは今にも、宇宙人が地球に攻め込んでくると思った。これをモチーフとし、再現しようとするキャンペーンなのだ。

ちなみに宇宙関連には、隕石の地球衝突の危険性を煽るキャンペーンもあった。隕石衝突による地球滅亡の話は、歴史的にも何度も取り上げられてきている。

１９９０年代には、ユカタン半島に巨大な隕石の衝突跡が発見されたのを契機に、その後、これによる恐竜絶滅説が一般的になった。さらに、木星を周回していたシューメーカー・レヴィ第９彗星が１９９３年に発見されるとすぐ翌年、木星に衝突。隕石衝突の凄まじさがマスコミをにぎわせている。木星に小惑星がぶつかったということは、地球にも小惑星などが衝突する可能性は小さくないなどと話題になったのだ。

この頃、米国連邦議会も隕石対策を議論するという格好を見せている。実際、１９９８年にはＮＡＳＡに今の地球近傍天体研究センター（NASA's center for computing asteroid and comet orbits and their odds of Earth impact：ＣＮＥＯＳ）の前身となる組織が立ち上がっていて、表向きは、リスクのある新たな小惑星が発見されたり、万が一、差し迫った状況になったりすれば世界に情報共有する、という触れ込みだ。だが、こちらも宇宙戦争と同様、なんらかの創作をするためにシステムを活用するかもしれない。１９９０年代は、隕石ネタの映画が何本も封切りになったから、キャンペーンに力が入っていたのだろう。

ちなみに２０１３年にロシアに落下した直径20メートルの隕石で相当の被害が出たというから、ここにこんな隕石が落ちてきた、と破壊工作をする可能性もなくはない。リスクの高い小惑星などが地球近辺で発見されたときには、それの軌道を変えるため、あるいは破壊するために、核爆弾をそこに投入するといった危なっかしいアイデアも提案されているから、こちらのキャンペーンも要注意だ。

さて宇宙戦争キャンペーンだが、世界の一般国民に対して、心理的な揺さぶりをさまざまにかけた後、最後に、宇宙からの侵略劇を最新技術を使って創造する。これは、オペレーション・ブルービームと呼ばれているプランだ。

かつてヘンリー・キッシンジャーが、ビルダーバーグかどこかの世界会議で、ありえ

オペレーション・ブルービームを使った"宇宙戦争"はハザールマフィアの最後の奥の手だ。近頃、米国の大手メディアはUFOや宇宙人がらみの報道を頻繁にしている

ない話だが、と前置きしながらも、米国民が、国連の軍隊が街中に進軍することを受け入れるとしたら、未知の世界からの攻撃だ、とスピーチしたことがある。万が一そのようなことがあれば、キッシンジャーの言うことは正しいのかもしれないが、あえてこのようなスピーチをしたことには、彼らの頭の中には実際にこのようなプランがあり、会議に参加している人たちの反応を見るというアドバルーンだったのだろう。

ハザールマフィアたちの数々のキャンペーンが失敗し、自分たちの思い通りにならないため、最後はこれを手掛けるつもりなのだ。これが成功すれば、一挙に世界政府の樹立にまでつながるかもしれない、と馬鹿げた夢想をしている。

リバイバル・キャンペーンに関連して、もう少し言及しておくと、2020年から2022年にかけて展開されたパンデミック＝感染爆発シナリオは、実は1975年の世界銀行（The World Bank〈ワシントンDC〉）のリポートに記されていた。この時代から、何度もシミュレーションなどを繰り返して、成功の確度を挙げて実施されている。この悪事も、ベースにはすべての人類を「ワンワールド」の下に支配するという意図があった。

最終の宇宙戦争キャンペーンもすでに始まっている。実は最近、大手マスコミが連日のように宇宙絡みの記事を公表している。

例えば2023年9月、米航空宇宙局（The National Aeronautics and Space Administration：NASA）が、未確認飛行物体（UFO）を調査する責任者を新たに任命すると発表、という報道が出た。UFOの解明にNASAが積極的に取り組むというのだ。NASAでは、すでに2022年、「未確認異常現象（UAP）」と呼ぶ、UFOを含めた不思議な現象を研究するチームを設置している。

さらに8月には、なんと米国防総省が、UFOに関する目撃情報を公開するホームページを立ち上げている。こちらも大手マスコミによる報道で話題になった。このサイトには米空軍などによって撮影されたUFOの動画などがアップされている。

またロイターは、数年前の報道だが、米国防総省内のどこかに今でもUFOに対応するためのプログラムが存在しているのかもしれない、といった意味深な記事を掲載していたのだが、これに関連してか、米国の軍事予算から、20何兆ドル（およそ3000兆円）という莫大な資金が行方不明になっているという話がある。

米国は、資金がない、と各国に資金提供行脚《あんぎゃ》を繰り返すなど、大騒ぎしているにもかかわらずだ。米国の国防予算は、年間約7000億ドル（98兆円）だから、この額は30年分の国防費に当たる。事情通の間では、この資金が、壮大な宇宙戦争キャンペーンに使われるのではないかと噂されている。

◆今度こそ、人類の解放が達成される日が近い

今後も、悪事キャンペーンは繰り広げられる。とはいえ、米国のハザールマフィアは瀕死だ。この機に乗じて、さまざまな権力闘争もある。だが、世界の一般の人たちが真実を知り得るようになって、権力者だけが勝手をできる時代ではなくなってきた。このような状況で、各国の愛国派も台頭してきた。

カオスに陥っている米国、この米国に対して、欧州が、世界が離れようとしている。欧州だけ見ても、結局、欧州10カ国は、ルーブルを使ってロシアからガスを買っている。今では、米国のロシア制裁の呼びかけは無視されているのだ。米国離れは、このほかに

もいろいろ出てきそうだ。日本も実際は大してロシア制裁はしていない。

筆者は、ごく近い将来、ハザールマフィアたちが仕掛けるような共産革命、カラー革命、あるいは逆に共産主義の拡大を阻止しようとするP3フリーメーソンが仕掛ける事件などとは違う、本当の革命が起こり得ると考えている。これはまさに「世界革命」と呼び得るものである。バビロニア式借金奴隷制度という、3000年前の悪魔崇拝者たちが考え出した手法を使って人類の99%を支配してきたハザールマフィアが、ついに崩壊するのだ。

それがいつになるのかは、ハザールマフィアたちが大本営発表を続ける限り、ギリギリまで分からないわけだが、それでもそれは必ずやってくる。

そのとき、どうなるのか――。大筋、いくつか言えることがある。

まず、ニュルンベルク戦犯裁判のような大きな裁判が起こされる。もう1つは、世界的な徳政令が施行される。すべての借金、個人が持つもの、政府が持つものも関係なく、債務が帳消しにされる。世界の公的、民間含めて金融機関の帳簿は、今ではほぼ無意味になっている。これを一掃する。これらの後、7つぐらいの極を持つ多極世界が成立する。

ニュルンベルク戦犯裁判のような軍事裁判所が設けられることについては、本章冒頭でも触れた。例えば新型コロナウイルスワクチンの裁判に取り組もうとしたラインハートという男がいるのだが、彼がいくら証拠を出して訴えても、この裁判を受け付けてもらえなかった。真実を裁こうとすれば、このような事態になる。このため、特別に軍事裁判を設けるしかないのだ。

どこの政府、司法機関も、ハザールマフィアたちに買収されているので、ここは一時的に軍人が入って大掃除をし、その後、民間に戻す過程が必要だ。

1991年、ソ連が崩壊した後、それなりに健全なロシアが生まれた。このように、今の米国も、借金奴隷制度の下でハザールマフィアたちの支配する体制が崩壊すれば、健全な米国に生まれ変わる可能性は大いにある。あとは国連も、アジア、おそらくラオスあたりに拠点を移し、これまでの第2次世界大戦の戦勝国で構成される常任理事国に代わる新しい枠組みの下で運営がされるようになるだろう。

日本に身近な東アジアで何が起こるかと言えば、先にも少し触れたが、朝鮮半島統一と、日本独立だ。日本は、明治維新を経て富国強兵に努め、欧米列強に追いついた頃の、第1次世界大戦以前の状況になるのではないだろうか。あるいは第2次世界大戦中の、大東亜共栄圏がアジアのほかの国々のプレゼンスも高まる中で自主的に復活する、というイメージだ。

モーションピクチャーと呼ばれる、パラパラ漫画のように対象物を、時間をかけて写真撮影し、これを見るときには通常の速度で再生、リアルな現象として認識する映画撮影の手法がある。筆者が毎週執筆しているメルマガも、1週間ごとの真実を細切《こま》れに収録しているわけだが、近い将来、これが1つのストーリーとして、スムーズに流れ、多くの読者に時代の大きな移り変わりを自然に見せることにつながるのではないかと思っている。

今は、旧体制は崩壊しつつあり、社会がカオスに陥っているし、それがしばらく続くため、世界情勢がもう一つ掴《つか》みどころのない印象を持たれている読者も多いかもしれないが、これがある日突然、目の前が開けるように時代の流れを実感できるはずだ。

そして、ハザールマフィアが瓦解《がかい》したあとの世界経済では、今までのように悪魔崇拝のグローバリストたちがすべてを牛耳ることのない、バランスのとれた多極世界の経済発展が進展する。心配することはない。人類は甦《よみがえ》る。なぜなら、そのとき、もう世界には人類の99%を奴隷にしてきたハザールマフィアは存在しないのだ。

日本もこの流れに乗り遅れることなく、しっかりと世界の真実を見てほしい。そうすれば、この日本こそが、不死鳥《フェニックス》のように甦る世界経済を先頭で引っ張っていく国になることは間違いない。

その日が一日も早く来ることを願っている。

あとがきにかえて

人類の時間は刻々と流れ、情勢は日々、いや分単位、秒単位で変化している。

メインストリーム・メディアのすべてがハザールマフィアに支配されているために、私たちには世界で本当に起こっていることがまったく、あるいは、歪《ゆが》んだ形でしか伝わらない。本当の真実はどこにあるのか、私はそれを表に出ている「歪んだ情報」の裏に探り当て、それをできる限り多くの人々にお伝えしようと、毎週、英語と日本語のメルマガで情報発信をしている。

本書で述べてきたように、これまで余りにひどい、人類に対する凶悪犯罪を続けてきたハザールマフィアがいよいよ崩壊すること、これはもう疑いようのない歴史の必然である。ウクライナ紛争も、コロナパンデミック詐欺も、勝負はすでに決している。

あとは、いかに世界人類に対して発表がなされるか、だけだと言っていい。むろん、ハザールマフィアの最後の1人の息の根が止まるまで闘いは続く。われわれが息を抜く暇はない。

「あとがき」に代えて、校了前の最新のメルマガから抜粋掲載する。

◆アメリカ情勢とウクライナ情勢の急変《２０２３年９月25日、第７２０号》

世界権力の最高峰に明らかな変化が生じている。そして今、アメリカやウクライナに関するニュースなど、それを示すサインや出来事も急速に増えてきている。

まずは、以下のニュースをご覧いただきたい。

米政府の新会計年度となる10月１日を前に、予算案を巡って下院の過半数を握る共和党が路線対立に苦しんでいる。党内の保守強硬派が歳出削減などを主張し、成立のめどが立っていない。主流派は暫定予算案の編成を目指すものの、賛同を得られず、今月19日に予定していた手続きを見送った。予算なしで新年度を迎えると、政府の業務が制限され、ウクライナ支援に影響する可能性がある。……

（https://www.tokyo-np.co.jp/article/278628）

このまま10月に突入すれば、アメリカ政府は職員や軍人らの給料が支払えず、機能不全（政府機関の一部閉鎖）に陥る可能性が極めて高い。

6月に債務上限引き上げ法案（上限規制を一時的に停止する内容）が可決され、「アメリカ政府は2025年1月まで安泰」だとマスコミで報じられたばかりなのに、なぜ「政府機関の閉鎖」などの話題が今また取沙汰されているのか。

それは、アジア勢が「もうアメリカには延命資金を渡さない」と決めたからだ。

アメリカ勢は「大統領の首をバイデンからインド系の副大統領カマラ・ハリスにすげ替える」と約束すれば、また延命資金を引き出せると考えていた。2008年のリーマンショック発生直後、彼らは「共産主義を信奉する米国初の黒人大統領を誕生させる」と約束してアジア勢から莫大な資金を融通してもらっていたからだ。しかし、オバマがとった政策は前大統領を務めたブッシュと何も変わらず、結局アメリカの根本的な改革を行うことはなかった。

そのため、アジアの結社筋は「アメリカ勢の話に乗せられて、アジアが再び資金を出すことはない」と伝えている。

【世界の変化】

また、それと同時にアメリカ勢によるウクライナ支援にも陰りが出てきた。

先週9月21日、ウクライナのゼレンスキー大統領がワシントンDCを訪れて支援を訴えたのだが、ほとんど手ぶらで帰国している。バイデン政権（＝ハザールマフィア）が要請する

２４０億ドル（約3兆５０００億円）のウクライナ支援の予算を米議会が拒否しているからだ。さらにゼレンスキーは米議会での演説も断られ、結果的に以前から約束されていた一部の中古武器（3億２５００万ドル分の追加支援）だけをもらって帰された。

https://www.zerohedge.com/geopolitical/zelensky-leaves-washington-mostly-empty-handed-amid-mood-shift-west

https://news.yahoo.co.jp/articles/5b5ee4ab7d8391e7ca61cf657476 5bbd3ef455a5

しかも、その前日20日にはポーランドのモラウィエツキ首相も「ウクライナへの武器供与を停止する」と発表している。

https://www.bbc.com/japanese/66874151

そうした流れを受けてか、ウクライナ東部のドネツク州で9月9日に起きた「市場へのミサイル攻撃」について、ニューヨーク・タイムズが今までの報道を訂正する記事を発信している。これまでゼレンスキーやバイデン政権、マスコミは挙《こぞ》って「意図的に市場を狙ったテロ攻撃」とロシアのせいにしてきた。それが一転して「ミサイルはウクライナ側が発射した可能性が高い」と報じたのだ。

https://news.yahoo.co.jp/articles/fad4e03e6e8e13cc21df81018a44e804e431e26f

ちなみにアメリカで歓迎されなかったゼレンスキーは、その後にカナダを頼ってトルドー首相にも面会している。しかし、そのトルドーもバイデンと同じく長く権力の座に留まることはなさそうだ。

日本ではまったく報道されていなかったが、先日のＧ20サミットの後、トルドーは２日ほどニューデリーに足止めされている。表向きの理由は「政府専用機の故障のため」とされているが、実際は「カナダ政府専用機で大量の違法大麻が発見されたため、インド政府によりトルドーが拘束されていた」というのが直接の理由だという。

しかしインド政府筋によると、それよりもトルドー政権が「シーク教徒によるインド国内でのテロ」を誘発しようとしていることこそが、このトラブルの最大の要因だという。インド政府筋は「トルドー政権が倒れるまで、カナダに対する国際ボイコットを呼びかける」と話している。

これを受けてトルドーも、先週18日に「カナダ国内で発生したシーク教指導者の殺害にインド政府が関与した可能性がある」と発表して、同じくインドに対するボイコットを世界に呼びかけた。しかし、同じアングロサクソン民族のイギリスやアメリカですらトルドーの呼びかけを無視しているのが現状だ。

【変化の要因】

こうしたさまざまな「変化」を可能にした要因の1つは、9月末で任期が切れる米軍制服組トップ：マーク・ミリー統合参謀本部議長の後任にチャールズ・Q・ブラウンJrが指名されたことだろう。チャールズ・ブラウンは筋金入りの親《しん》トランプ派である。

https://www.axios.com/2023/09/20/tuberville-blockade-joint-chiefs-confirmed

また、欧米マスコミ界の重鎮：ブルームバーグ社のマイケル・ブルームバーグとFOX社のルパート・マードックの2人が立て続けに経営トップからの退任を発表したことも大きい。

https://www.nikkei.com/article/DGXZQOGN21B260R20C23A8000000/

https://www3.nhk.or.jp/news/html/20230922/k10014203331000.html

そして、このタイミングでイギリスの大手新聞（The Telegraph）が以下の通りアメリカのジョー・バイデン大統領の排除を呼びかけている。

Joe Biden is becoming dangerous. Remove him now before it's too late

ジョー・バイデンは危険になりつつある。手遅れになる前に、今すぐ彼を排除してください……

（https://www.telegraph.co.uk/news/2023/09/13/biden-is-becoming-dangerous-remove-him-

新たに米軍統合参謀本部議長に就任したチャールズ・Q・ブラウンJR.（1962 - 、61歳）。筋金入りの親トランプ派だ

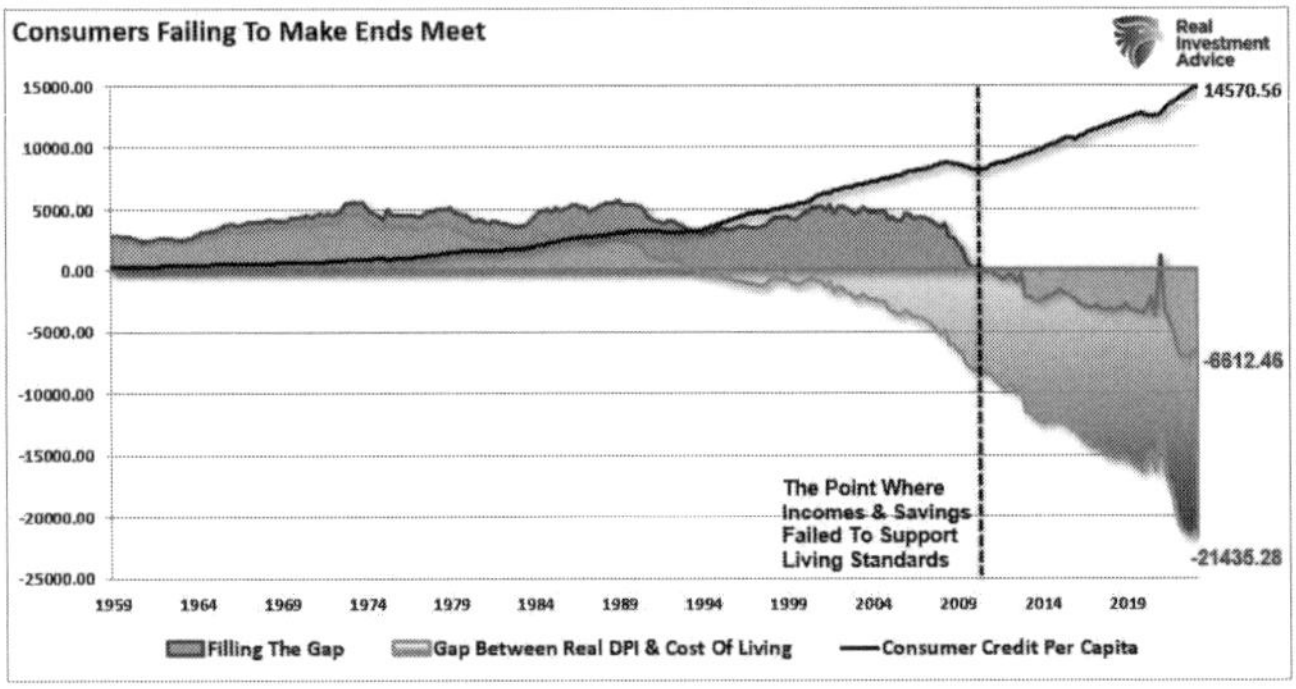

before-its-too-late/）

　実際、バイデンは先週9月19日に行われた国連演説で「数兆ドルの資金をもらえるなら今後たくさん良いことをするが、そうでなければ気象兵器を使って世界を攻撃する……」と所々で仄めかしている。

https://www.whitehouse.gov/briefing-room/speeches-remarks/2023/09/19/remarks-by-president-biden-before-the-78th-session-of-the-united-nations-general-assembly-new-york-ny/

　しかし上のグラフを見ても分かる通り、今のアメリカは借金が収入を遥かに超えている状況。世界からいくら延命資金を脅し取ったところで「焼け石に水」である。

　そのため「10月中にはアメリカが倒産宣言し、エリートの大量逮捕劇が始まるのではないか」と予測する情報源は多い。彼らによると、逮捕劇の理由は やはり生物兵器のばら撒きに伴う「パンデミック規制と危険ワクチンの強要」だという。

具体的に2022年後半のデータをあげると、ワクチン接種が「2回以下の国の超過死亡率」が-4%〜6%であるのに対し、「2回以上の国の超過死亡率」は6%〜20%と明らかに高くなっている。

ようは、世界大戦に匹敵するほどの大量殺戮が起きたということだ。現在、国際弁護団が中心となって、その詳しい証拠を集めている。

https://jamesroguski.substack.com/p/international-lawyers-versus-the
もちろん、「エリートの大量逮捕劇が始まる」という話は、今までに何度も流れては有耶《うや》無耶《むや》になってきた経緯があるため鵜呑《うの》みにはできない。しかし9月以降の世界の動きを鑑《かんが》みると、今度こそ実現される可能性は高いように感じる。

ベンジャミン・フルフォード

■著者プロフィール

ベンジャミン・フルフォード

(Benjamin Fulford)

1961年カナダ生まれ。ジャーナリスト。上智大学比較文学科を経て、カナダのブリティシュ・コロンビア大学卒業。米経済紙『フォーブス』の元アジア太平洋支局長。主な著書に『日本がアルゼンチン・タンゴを踊る日』(光文社、2002)、『ヤクザ・リセッション』(光文社、2003)、『一神教の終わり』(秀和システム、2021.7)、『破滅する世界経済と日本の危機』(かや書房、2022.12)、『世界人類を支配する悪魔の正体』(副島隆彦氏との共著、秀和システム、2023.1)、『ディストピア化する世界経済』(清談社Publico、2023.7)ほか著書多数。

世界革命前夜《せかいかくめいぜんや》

99%《パーセント》の人類《じんるい》を奴隷《どれい》にした

「ハザールマフィア」の終焉《しゅうえん》

発行日　2023年11月 5日　第1版第1刷

著　者　ベンジャミン・フルフォード

発行者　斉藤　和邦

発行所　株式会社　秀和システム

〒135-0016

東京都江東区東陽2-4-2　新宮ビル2F

Tel 03-6264-3105（販売）Fax 03-6264-3094

印刷所　日経印刷株式会社　Printed in Japan

ISBN978-4-7980-7072-8 C0095